[signature]
1992

Arts incohérents, académie du dérisoire

Catalogue rédigé et établi par
Luce Abélès,
professeur de lettres, Section littéraire du musée d'Orsay
et
Catherine Charpin, historienne de l'art

Réunion
des Musées
Nationaux

Cette exposition présentée au musée d'Orsay
du 25 février au 31 mai 1992
a été réalisée avec le concours
des services techniques du musée d'Orsay.
La présentation a été conçue et réalisée par Anne Pouillard.

Notre reconnaissance s'adresse aux responsables
des collections publiques qui ont consenti les prêts :
Boulogne-sur-Mer,
   Bibliothèque municipale
   Musée-Château
Grenoble,
   Bibliothèque d'étude et d'information
Nantes,
   Bibliothèque municipale
Paris,
   Bibliothèque de l'Arsenal
   Bibliothèque historique de la Ville de Paris
   Bibliothèque nationale, Cabinet des Estampes,
   Département des imprimés, Département de la
   musique
   Musée Carnavalet
   Musée de Montmartre
   Musée national des Arts et Traditions populaires
   Musée national Jean-Jacques Henner
   Musée d'Orsay
   Musée de la Publicité
   Union française des Arts du Costume
Rouen
   Bibliothèque municipale
Rutgers
   The Jane Voorhees Zimmerli Art Museum

Que les collectionneurs qui nous ont guidé dans nos
recherches et ont consenti à se dessaisir d'une partie
de leurs collections trouvent ici l'expression de notre
gratitude : Monsieur François Caradec, Famille
Courtet Cohl, Monsieur et Madame Durozoi, Galerie
de Paris, Madame Colette Kieffer et Monsieur Jean-
François Le Petit, Monsieur Parkenham, Présence
Panchounette.

Nous tenons à exprimer nos chaleureux remercie-
ments à toutes celles et à tous ceux dont l'aide et les
conseils ont permis la réalisation de cette exposi-
tion : Viviane Billard, Marie-Françoise Bois-Delatte,
Alexis Brandt, Françoise Breton, Bernadette Buiret,
Cécile Chériau, Sandrine Chiabo, M. Cimadevilla,
Mme Colnat, Jean Coudane, Phillip Dennis Cate,
Maria Deurbergue, Anne Distel, François Galard,
Christian Garoscio, M. Gasq, Chantal Georgel, Anne
Guiheux, Françoise Jestaz, Aïcha Kherroubi, Caro-
line Larroche, Jean-Claude Le Pain et son équipe,
Laurent Manœuvre, Marie Médina, Odile Ménégaux,
Nathalie Mengelle, Jeanne Mettra, Geneviève Mor-
let, Philippe Néagu, Valérie Neveu, Chantal Nicolas,
Sylvie Patin, Colette Prieur, Rodolphe Rapetti,
Hélène Richard, Denys Riout, Anne-Marie Sauvage,
Béatrice Seguin, Corinne Solacroup, Philippe Sorel,
Laurent Stanich, Antoine Tasso et son équipe, Joce-
lyne Van de Putte.

Nous sommes reconnaissants à la cinémathèque
Gaumont de nous avoir autorisé à projeter, pendant
la durée de l'exposition, le film d'Emile Cohl, « Le
peintre néo-impressionniste ».

Couverture : Jules Cheret, *Projet d'affiche pour
l'Exposition universelle des Arts incohérents*, 1889.

ISSN 0985-9802
ISBN 2-7118-2581-7

Sommaire

LE HARENG SAUR

Il était un grand mur blanc — nu, nu, nu,
Contre le mur une échelle — haute, haute, haute,
Et, par terre, un hareng saur — sec, sec, sec.

Il vient, tenant dans ses mains — sales, sales, sales,
Un marteau lourd, un grand clou — pointu, pointu, pointu,
Un peloton de ficelle — gros, gros, gros.

Alors il monte à l'échelle — haute, haute, haute,
Et plante le clou pointu — toc, toc, toc,
Tout en haut du grand mur blanc — nu, nu, nu.

Il laisse aller le marteau — qui tombe, qui tombe, qui tombe,
Attache au clou la ficelle — longue, longue, longue,
Et, au bout, le hareng saur — sec, sec, sec.

Il redescend de l'échelle — haute, haute, haute,
L'emporte avec le marteau — lourd, lourd, lourd ;
Et puis, il s'en va ailleurs, — loin, loin, loin.

Et, depuis, le hareng saur — sec, sec, sec,
Au bout de cette ficelle — longue, longue, longue,
Très lentement se balance — toujours, toujours, toujours.

J'ai composé cette histoire, — simple, simple, simple,
Pour mettre en fureur les gens — graves, graves, graves,
Et amuser les enfants — petits, petits, petits.

Charles Cros, *Le Coffret de Santal*, 1873

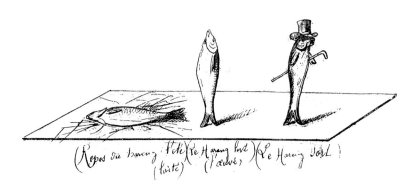

(Repos du hareng : fête)(Le Hareng fort)(Le Hareng Joël)
(fait) (l'œuvé)

Chronologie

1882

– Mercredi 2 août : première exposition des Arts incohérents organisée à l'initiative de Jules Lévy, homme de lettres, dans le cadre d'une kermesse au bénéfice des victimes d'une explosion de gaz ; elle se tient aux Champs-Elysées, concert Besse-lièvre. Il n'y a pas de catalogue. Un seul journal, *Le Voltaire* (5 août) rend compte de la présence des Incohérents à cette fête de charité : « Une très amusante caricature du Salon, en somme ».

– Dimanche 1er octobre : exposition des Arts incohérents au domicile de Jules Lévy, 4 rue Antoine Dubois **(Cat 1 et 7)** ; c'est un succès : 2 000 visiteurs en une journée. L'exposition bénéficie d'une couverture de presse favorable : « L'Incohérence a pignon sur rue » (*La Presse*, 3 octobre). Le catalogue incomplet, édité par le journal *Le Chat noir*, recense 67 exposants et compte 159 numéros.

at 7 Henri Boutet, *Invitation à l'exposition des Arts incohérents*, 1882

1883

– 15 février : grande fête de nuit donnée par l'Association syndicale des journalistes républicains dans les salons de Lemardelay, rue de Richelieu **(Cat 43)**. Parmi les attractions figure « le Salon incohérent, dirigé par M.Jules Lévy. Dessins et pochades exécutés à la minute ».

– Dimanche 14 octobre : inauguration de la troisième exposition des Arts incohérents, 55-57-59 galerie Vivienne, au profit des pauvres de Paris. Durée : un mois. Une affiche dessinée par Henry Gray annonce l'événement **(Cat 29)**. Le catalogue est édité par l'imprimerie Chaix. Plus de 170 exposants ont pris part à cette manifestation qui compte 300 œuvres. Une salle à part est réservée à l'exposition de « dessins rétrospectifs » dus à des personnalités disparues du monde des arts, des lettres et de la politique : Baudelaire, Charles Blanc, Daumier, Léopold Ier roi des Belges, Louis-Philippe, Mérimée, Rude, Eugène Sue, etc. Le vernissage est un triomphe : « Plus de 4 000 entrées dans la seule journée d'hier dimanche » (*L'Evénement*, 16 octobre). Des notabilités du monde des arts et du spectacle se sont déplacées. « L'art sera incohérent ou ne sera pas » prophétise *Le Voltaire* (15 octobre), résumant le sentiment général. Signe de la popularité de cet événement, plusieurs journaux reproduisent en pleine page des œuvres exposées : Le *Charivari*, *Lutèce*, *La Vie parisienne*. Un monologue, *Les Arts incohérents* **(Cat 96)**, consacre le succès médiatique du mouvement.

– 15 novembre : clôture de l'exposition des Arts incohérents. Les bénéfices, d'un montant de 6 700 F, sont versés à l'Assistance publique de Paris.

– 30 novembre : « Punch de Dignation » au Buffet de la Bourse offert par les Incohérents à la presse parisienne pour la remercier de son soutien, en présence du directeur de l'Assistance publique **(Cat 16 à 18)**.

1884

– Mai : les Incohérents se retrouvent à Clamart : promenade, puis dîner au restaurant Ancelin (*cf* Jules Lévy, « L'Incohérence... », *Le Courrier français*, 12 mars 1885).

– 25 et 26 mai : exposition des Arts incohérents à Rouen, dans le cadre d'une fête au profit de la Caisse des Ecoles **(Cat 85)**. Organisée par « de jeunes artistes rouennais », elle se tient dans une galerie de l'Hôtel de Ville. Un catalogue de 12 pages « vendu au profit de l'œuvre », comportant seulement des illustrations, reproduit un choix d'œuvres exposées. Le succès de cette manifestation, longuement commentée par *Le Petit Rouennais* (22 et 26 mai) et *Le Journal de Rouen*, lui vaut d'être prolongée d'une semaine.

– Dimanche 19 octobre : inauguration de la quatrième exposition des Arts incohérents au 55-57-59 Galerie Vivienne, au profit des grandes sociétés d'instruction gratuite. Durée : un mois. L'affiche est due au dessinateur Léon Choubrac, dit Hope **(Cat 30)**. Un luxueux catalogue illustré, dû à l'imprimeur E. Bernard, éditeur attitré du catalogue du Salon annuel, recense les œuvres exposées : il compte 235 numéros et reproduit 85 œuvres accompagnées d'un commentaire fantaisiste. Le catalogue fera l'objet d'un second tirage, preuve de son succès. Le vernissage est un triomphe. La presse salue cette manifestation, « émanation naturelle de notre siècle mal équilibré » (*Le Figaro*, 18 octobre) « critique en action du Salon officiel » (*Le Radical*, 24 octobre) « d'où sortira la charge moderne, celle qui est à naître et qui remplacera la charge politique, tuée par la liberté de la presse. » (*La Presse*, 19 octobre) Quelques voix discordantes se font entendre : « l'idée, sans intérêt d'ailleurs, était drôle une fois » estime le critique du *Gaulois*, taxant de « vaniteuse fantaisie » l'institutionnalisation de l'incohérence. Elémir Bourges, dans le même journal, attaque de front les Incohérents : « Vous êtes de ces pauvres équivoqueurs, de ces plats transporteurs de noms dont Rabelais parlait jadis », accuse-t-il (*Le Gaulois*, 24 octobre).

– 20 novembre : fermeture de l'exposition. Le bénéfice net de 9 000 F est versé à diverses sociétés d'instruction gratuite.

Cat 30 Hope, *Exposition des Arts incohérents galerie Vivienne*, 1884

1885

– Vendredi 27 février : inauguration de la « Great Zwans Exhibition » au Musée du Nord à Bruxelles, au profit de l'Œuvre de la Presse en faveur des ouvriers sans travail ; elle est organisée par des me`mbres de l'Essor, groupe d'artistes bruxellois, et contient essentiellement des parodies d'œuvres d'artistes contemporains, notamment du groupe des XX. C'est un succès de curiosité. La presse bruxelloise établit aussitôt une analogie entre l'Art zwanze et les Arts incohérents.

– Mercredi 11 mars : premier bal des Incohérents sur invitation, 49 rue Vivienne, aux Concerts-Promenades de Paris **(Cat 45 et 46)**. D'après *Le Voltaire* (14 mars), « les invités [sont] presque tous journalistes, artistes-peintres, sculpteurs, musiciens, comédiens, modèles et autres ». La presse félicite Jules Lévy de son initiative et décrit minutieusement les costumes les plus originaux.

– Jeudi 12 mars : « Les Incohérents », numéro spé-

Cat 81 Job, *Le Bal des Incohérents*, 1886

Cat 100 José Roy, *Café-concert des Incohérents*, 1888

cial réalisé par le journal illustré *Le Courrier français* avec le concours de dessinateurs et chroniqueurs membres des Arts incohérents **(Cat 79)**. Ce journal se propose d'être « l'organe officiel et officieux » des Incohérents.

1886

– 27 janvier : « exposition incohérente des Arts incompris » à Bourg-en-Bresse, organisée par la Société gallinophile La Poularde **(Cat 86)**. Un élégant catalogue de 22 numéros, tiré à 43 exemplaires, consacre l'événement qui ne semble pas avoir eu d'échos dans la presse locale.

– 31 mars : bal des Incohérents, 49 rue Vivienne, salle Métra (anciens Concerts-Promenades de Paris). « Tout Paris était au bal des Incohérents » note *Le Gil-Blas* (3 avril), tandis que deux revues s'adressant à un large public, *L'Illustration* et *Le Monde illustré* **(Cat 81 et 82)** reproduisent en pleine page les costumes les plus réussis.
– Octobre : ouverture du « Café des Incohérents »,

16-bis rue Fontaine, annoncée par une affiche – non signée – du dessinateur Alfred Choubrac, membre régulier des Incohérents **(Cat 99)**. Une autre affiche de très grand format sera réalisée par la suite par José Roy **(Cat 100)**. Le journal *Le Chat noir* insère la mise au point suivante : « Notre ami Jules Lévy nous prie d'annoncer qu'il n'est pour rien dans l'exploitation du café qui vient de se fonder sous le titre de "Café des Incohérents" » (30 octobre). La confusion est d'autant plus fâcheuse que le café des Incohérents organise aussi des expositions.

– Dimanche 17 octobre : inauguration de l'exposition des Arts incohérents à l'Eden-Théâtre, rue Boudreau, au profit des oeuvres de protection de l'enfance. Durée : deux mois (17 octobre-19 décembre). L'affiche est due à Jules Chéret, le maître incontesté en ce domaine **(Cat 31 et 32)**. Le catalogue, sans mention d'éditeur, est illustré et les notices fantaisistes s'enrichissent des « portraits FRAPPANTS de tous les exposants » **(Cat 4)**. Les réactions de la presse sont globalement favorables,

CENNEQ (parfaitement!) expose pour se faire remarquer du beau sexe, prévient que lui n'habite pas rue du Cherche-Midi, 55, pourtant on peut lui écrire à cette adresse il fera parvenir la sienne, né rien chouette! aime la choucroute et ne rentre jamais chez lui après 11 heures du soir.

51. — *La Télégraphie de l'avenir.*

52. — *Nouvelle réforme du général Boulanger (suppression des chevaux dans la cavalerie).*

CHAFFET (Félix) (ça fait Félix) né dans le pays d'Amagat, vous pouvez le voir à sa façon de parler. Demeure, c'est ça que je m'en fiche. Ah! si, 55, rue du Cherche-Midi. Élève de quelqu'un, sans doute, mais je ne m'en souviens plus.

53. — *Nièce de Saint-Victor, ayant découvert la photographie, fait le portrait de son oncle.*

54. — *Aspect des boulevards de Paris en 1886.*

CHARLET (Georges) i n'a pas le souvenir du jour de sa naissance. Élève du même. Voudrait bien vendre sa petite affaire. Recommandé au Conseil municipal de Cure-Gousset. Demeure pas car il va... bien.

55. — *Projet de divorce pour la Mairie du 25e arrondissement.*

CHARPENTIER (le copain). Né — non, je ne veux pas faire de calembour — élève — même raison — demeure au 6e étage, si je crois ce qu'il me raconte. Expose.

56. — *Cocher au pas. (La morale il n'y a que ça de vrai!)*

57. — *Nounous et bébés. (Où cela s'arrêtera-t-il?)*

CHOUBRAC (Alfred), né, mais pas au Phite, y avait plus de place (pas du Calvaire). Élève, pas des lapins, y en avait plus. A part ces petits travers très gentil garçon. On croit qu'il demeure à Bois-Colombes (consulter le catalogue de l'année dernière ou le dictionnaire Vapereau).

58. — *Boule en geai, d'après nature.*

Cat 4 *Une page du catalogue des Arts incohérents,* 1886

Cat 51 Emile Cohl, *3e et dernier bal des Incohérents,* 1887

malgré quelques grincements, notamment une critique acerbe d'Anatole France qui remarque : « Les exposants de la rue Boudreau nous chatouillent pour nous faire rire. Je trouve quelque indiscrétion à cela » (*Le Temps,* 24 octobre). Peu ou prou, le rire est au centre des débats que suscitent les Incohérents, devenus les champions de la gaîté française menacée par le pessimisme envahissant de cette fin de siècle : « *L'incohérence* est comme une pichenette donnée sur le nez du *pessimisme* » se réjouit *L'Illustration* (23 octobre), rejointe par *Le Figaro* qui y voit « comme une diversion joyeuse à ce mascaret de déliquescences où, si l'on n'y met bon ordre, la vieille gaîté française finira par sombrer » (16 octobre) ; et d'accuser « les déliquescents, les symbolistes et les pessimistes [qui] ne l'ont que trop mise à mal. » (*idem*). *Le Gil Blas* renchérit : « Les déliquescents, les tristes, les moroses, les symbolistes et les anarchistes, tout cela est enfoncé ! Vive la gaîté française ! Vive

l'Incohérence ! » Et si, en définitive, les Incohérents n'étaient eux-mêmes que « les produits de la névrose actuelle qui nous tient », comme le croit *Le Voltaire,* qui précise : « on ne rit plus, on grimace (...) Du piment ! Du piment ! C'est ce que nous demandons. » (19 octobre)

– Décembre : *Revue incohérente* par Julien Semet et Louis Bataille au café-concert de la Scala, boulevard de Strasbourg **(Cat 98)**. L'incohérence fait décidément recette...

1887

– 12 février : inauguration de « l'exposition universelle burlesque » au Musée du Nord à Bruxelles, au profit de la Caisse d'Art appliqué. Comme la « Great Zwans Exhibition » de 1885, elle est organisée par les membres de l'Essor et s'attaque cette fois, à travers la parodie, à toutes les écoles artistiques, nationales et étrangères, en premier lieu à l'impressionnisme et au néo-impressionnisme. Durée : deux mois et demi (12 février-30 avril).

– 17 février : inauguration de l'exposition des Arts incohérents à Nantes, salle des concerts de l'ancien cercle du Sport, au profit des aveugles de Saint-Joseph **(Cat 87)**. Elle est organisée par deux notabilités de la ville, A. de Witkowski (« un lézard incohérent ») et Dominique Caillé, avocat et érudit, membre de plusieurs sociétés savantes (« un grillon incohérent »). Durée prévue : un mois (17 février – 30 mars), mais prolongation jusqu'au 17 avril. L'affiche, due à Chéret, reprend le motif créé pour l'exposition parisienne des Arts incohérents de 1886 **(Cat 88)**. Le catalogue illustré recense 201 œuvres et 139 exposants. La moitié d'entre eux environ sont des exposants parisiens qui ont envoyé à Nantes des œuvres présentées aux Arts incohérents en 1886. Les autres sont des artistes locaux qui signent de pseudonymes calembouresques. Le catalogue reproduit 44 œuvres, toutes dues à des Nantais. *Le Phare de la Loire* (21, 27 février et 1er mars) rend compte avec sympathie de cette manifestation, qui se termine par une tombola des œuvres exposées.

– 16 mars : « troisième et dernier bal des Incohérents » aux Folies-Bergère **(Cat 50 à 52)** : il célèbre dans la liesse l'enterrement de l'incohérence. Un poème humoristique de Jules Lévy, reproduit sur les cartons d'invitation, explique à sa façon la fin du mouvement : « Venez donc aux Folies-Bergère/Le seize mars, minuit sonnant./L'Incohérence qui m'est chère/Va donner un bal étonnant./ C'est le dernier, messieurs, mesdames./L'Incohérence a fait son temps ;/Car le plus gai des mélodrames/Très gais, ne peut durer longtemps [...] /Chacun son tour. Dans l'existence/ Il faut devenir sérieux/Un jour (au moins en apparence)/L'on vous en considère mieux. »
La presse salue les obsèques de l'incohérence et décrit avec enthousiasme les invités et leurs déguisements. Dans *La Revue illustrée* (15 mars 1887), Emile Goudeau, président du groupe défunt Les Hydropathes d'où naquirent les Incohérents, se livre à un historique du mouvement, concluant sur une note d'espoir : « L'avenir ! L'avenir appartiendra à d'autres qui, à leur tour, sous une autre épithète, combattront pour la joie de vivre, malgré les sinistres prévisions. »

Cat 91 G. des Tournures, *Couverture du catalogue de l'exposition des Arts incohérents de Besançon*, 1886

– 8 mai : inauguration de l'exposition des Arts incohérents au profit de l'Union de la jeunesse, au Palais Rameau, à Lille **(Cat 89)**. Durée : un mois (8 mai – 8 juin). Le catalogue, non illustré, compte 145 numéros. La majorité des envois – environ les trois quarts – est constituée d'œuvres exposées aux Arts incohérents de Paris en 1886, puis à Nantes en février 1887. L'exposition de Lille est donc en partie la continuation de celle de Nantes, les deux villes ayant enrichi les envois parisiens d'œuvres dues à des artistes locaux ; il s'agit là d'un des premiers exemples d'exposition itinérante, Lille succédant à Nantes à un mois d'intervalle.

– 24 juillet : exposition des Arts incohérents à Besançon, dans le cadre d'une fête organisée par le Comité bisontin de l'Union des femmes de France **(Cat 91)**. Il s'agit cette fois d'une manifestation purement locale. Le catalogue compte 51 numéros.

Cat 33 et 34 Jules Chéret, *Exposition universelle des Ar*

Cat 83 Bac, *Souvenir du bal des Incohérents*, 1889

1888

Nous ne gardons trace d'aucune manifestation incohérente cette année-là.

1889

– 27 mars : Les Incohérents renaissent ; bal à l'Eden-Théâtre, rue Boudreau **(Cat 53 à 55 et 83)**. Pour la première fois, l'entrée est payante. Le bal rencontre peu d'échos dans la presse, sans doute trop occupée par les préparatifs de l'Exposition universelle. Seuls *L'Echo de Paris* et *Le Gil Blas* s'y arrêtent, le second pour constater que « la soirée d'hier a été moins réussie que celle des années précédentes » (30 mars). Les deux journaux s'indignent du souper de clôture, pourtant cher (10 F) : « rien de mangeable, rien de potable » *(idem)*.

– 12 mai : inauguration de l'exposition universelle des Arts incohérents, dans un local à usage de magasin, 2 rue du Faubourg Poissonnière. Comme en 1886, Jules Chéret a dessiné l'affiche de l'exposition **(Cat 33 et 34)**. Le catalogue illustré comporte 437 numéros, soit près du double des années précédentes ; mais plus d'un tiers des

envois a déjà figuré dans des expositions antérieures et, si l'exposition n'est pas universelle cette année-là, elle est largement rétrospective. Les journaux qui en parlent se montrent favorables à cette manifestation, qu'ils rapprochent de l'Exposition universelle ; *Le Gaulois* (13 mai) y voit la section de « la vieille gaîté française » qui fait défaut au Champ de Mars. A l'instar de l'Exposition universelle, celle des Arts incohérents se prolonge plusieurs mois : du 12 mai au 15 octobre.

1890

– 11 mars : bal des Incohérents au Moulin Rouge **(Cat 56)**

– 10-11 mai : exposition des Arts incohérents à Nancy, salle Victor Poirel, dans le cadre de la fête des écoles, kermesse organisée par l'Union de la jeunesse lorraine **(Cat 92)**. Le luxueux catalogue en deux couleurs (orange et jaune) s'orne d'une couverture illustrée par un artiste nancéen, René Wiener, qui en est aussi l'éditeur. Il recense 86 numéros dus à des exposants aux pseudonymes loufoques et comporte plusieurs pages de réclames pour divers magasins nancéens.

...érents, 1889

Cat 92 René Wiener, *Couverture du catalogue de l'exposition des Arts incohérents de Nancy*, 1890

1891

– Samedi 17 janvier : bal des Incohérents aux Folies-Bergère, précédé de la « première et unique représentation » de la revue *Vive la liberté !* par Jules Lévy **(Cat 57)**. Le programme recense les nombreux acteurs qui figurent dans cette revue, pour la plupart des célébrités des théâtres avoisinants. Les comptes rendus des journaux sont sévères : « personne ne sait son rôle, nul ne se doute de sa réplique », note *Le Gaulois* (18 janvier) ; *Le Gil Blas* (20 janvier) renchérit : « On ne comprend rien et on n'entend rien ». Bref, c'est un fiasco. Quant au bal qui suit, il reste réussi « bien que les costumes aient totalement manqué de fantaisie », d'après *L'Echo de Paris* (18 janvier).

– 4 mars : bal des Incohérents à l'Eden-Théâtre **(Cat 58)**, concurrencé par celui du *Courrier Français* qui a lieu le même jour et s'adresse au même public. Les journaux ne mentionnent pas le bal des Incohérents.

– 31 mai – 1er juin : « musée des Arts incohérents ou l'enfant de la forêt » **(Cat 93 à 95)**, baraque due à l'initiative d'artistes grenoblois, dans le cadre des

Cat 58 Eugène Mesplès, *Bal des Incohérents*, 1891

Cat 95 Jacques Gay, *Musée des Arts incohérents ou l'enfant de la forêt*, 1891

fêtes de bienfaisance au profit des indigents de la ville. A l'intérieur de la baraque est prévue « une exposition de bibelots très rares, d'objets pour ainsi dire inconnus » (*Le petit Dauphinois*, 26 mai), avec un orchestre composé par les artistes costumés. A l'extérieur, sont présentées « quatre immenses toiles peintes par nous tous » (*idem*). On n'a pas retrouvé de catalogue, mais une lithographie « vendue au profit des pauvres » garde le souvenir de cette éphémère manifestation, bien accueillie par la presse locale.

1892

– 23 mars : « grande fête des Incohérents » au Théâtre de la Porte-Saint-Martin **(Cat 59)**. Le programme-invitation mentionne comme attractions « une grande bataille d'éventails incohérents » côté femmes, et une « bataille de pavés » côté hommes. Dans la journée est prévue une représentation de « *Constatation*, revue libre, rapide et incohérente ». Pas de commentaires dans la presse.

– 17 novembre : bal des Incohérents au Casino de Paris **(Cat 60)**. Pas de commentaires dans la presse.

1893

– 11 avril : inauguration de l'exposition des Arts incohérents à l'Olympia, boulevard des Capucines. L'invitation porte la date du 1er avril. Cette erreur d'impression vaut aux Incohérents la bouderie des critiques, qui se sont déplacés une première fois inutilement. Une affiche collectiviste de grand format, due à quatre fidèles participants aux Arts incohérents – H. Pille, H.P. Dillon, E. Cohl, H. Gray – annonce l'événement **(Cat 36)**. Le catalogue illustré, comme les années précédentes, compte 314 numéros, mais bon nombre de membres réguliers manquent à l'appel, cédant la place à de nouvelles recrues. Peu de commentaires dans la presse : l'incohérence marque le pas.

– 1er décembre : bal des Incohérents, « costumé et bérengiste » dans la salle du Casino de Paris **(Cat 61 à 65)**. Cette mention « bal bérengiste » fait allusion à l'austère sénateur Bérenger, créateur d'une « ligue de protestation contre la licence des rues » qui poursuit de ses foudres toute manifestation susceptible de porter atteinte aux bonnes mœurs ; ce sénateur, qui est à l'origine de poursuites contre les participants du bal des Quat'z'arts de mars

1893, où s'exhibaient deux modèles nus, est en butte au quolibets de la presse et du spectacle. A nouveau, les journaux font silence sur le bal des Incohérents.

1894

– 14 mars : bal des Incohérents au Moulin Rouge **(Cat 66 et 67)**. Pas de commentaires dans la presse.

– 6 décembre : bal des Incohérents au Casino de Paris **(Cat 68 à 73)**. Pas de commentaires dans la presse.

1895

– 4 avril : « bal du régime parlementaire » organisé par Jules Lévy en lieu et place de l'habituel bal des Incohérents **(Cat 73)** ; l'incohérence agonise.

1896

– 28 mars : bal des Incohérents aux Folies-Marigny, « qui sera précédé », précise l'invitation, « de l'Unique représentation de « *Hâtons-nous d'en rire* », revue des derniers événements politiques, artistiques et littéraires » **(Cat 74 et 75)**. Une note souligne que « 1) Le costume décent est de rigueur ; 2) L'habit, la blouse et la casquette, ainsi que le costume de femme pour un homme sont rigoureusement interdits [...] ; 5) Par déférence pour les artistes [...], on est prié de faire silence pendant la représentation. Les turbulents sont priés de ne venir qu'après 1 h 1/2 du matin ». C'est la dernière fois, à notre connaissance, qu'est hissée la bannière incohérente. Ainsi s'éteint, dans la décence et le silence, ce qui fut l'un des événements parisiens les plus joyeux de cette fin de siècle.

Cat 61 Maurice Neumont, *Bal des Incohérents*, 1893

Naissance des Arts incohérents :
une conjoncture favorable

« Un vendredi et un 13 de l'an 1882, je fus réveillé plus tôt qu'à l'ordinaire par un rayon du soleil qui filtrait entre deux rideaux de ma fenêtre ; au bout de ce rayon se trouvait une idée qui se logea dans ma cervelle et me tracassa toute la matinée. Cette idée était simple en apparence, la voici dans toute sa nudité : "Faire une exposition de dessins exécutés par des gens qui ne savent pas dessiner". Je fis part à mes amis de cette fantaisie et je trouvai un nombre considérable d'adhérents. Il ne s'agissait point d'épater le public, je voulais simplement faire une petite exposition dans ma chambre qui me sert de salon, de salle à manger, de cuisine et de salle de bain [...] Les amis se mirent au travail et les dessins furent bâclés en un rien de temps ».

C'est en ces termes que Jules Lévy, inventeur des Arts incohérents, relate leur naissance, dans un article intitulé « L'Incohérence, – son origine, – son histoire, – son avenir » paru dans le très parisien journal illustré *Le Courrier Français* qui consacre, le 12 mars 1885, un numéro spécial dédié aux Incohérents à l'occasion du premier bal organisé par ceux-ci.

A lire cette entrée en matière, où résonne en écho le chapitre introductif des *Scènes de la vie de bohème* d'Henry Murger[1], le sentiment d'être en présence d'un canular de potaches, voué à un rapide oubli, prévaut.

Or d'emblée, les Arts incohérents vont connaître un retentissement inattendu auprès du public alléché par ce titre insolite[2]. Mais ce succès sera de courte durée ; le sabordage des Incohérents, célébré dans la liesse en 1887, scelle la fin de leur vogue : elle aura duré cinq ans.

Leur retour sur la scène parisienne en 1889 se fait dans l'indifférence générale ; à partir de cette date, les Incohérents ne font plus que se survivre à eux-mêmes.

On voudrait tenter de comprendre les raisons qui ont permis le succès immédiat des Arts incohérents ; et pourquoi, rapidement, le public et les médias se sont lassés de ces manifestations.

1. « Lorsqu'il eut vêtu sa toilette d'intérieur, l'artiste [Schaunard] alla ouvrir sa fenêtre et son volet. Un rayon de soleil, pareil à une flèche de lumière pénétra brusquement dans la chambre et le força à écarquiller ses yeux encore voilés par les brumes du sommeil ». Henry Murger, *Scènes de la vie de bohème*, chap. 1 : « Comment fut institué le cénacle de la bohème », Paris, 1851, réed. folio-Gallimard, 1988, p. 46.

2. Dans un article qui retrace l'histoire du mouvement des Arts incohérents, les frères Langlois, membres réguliers depuis l'origine, expliquent ainsi le choix de ce titre :« Après délibération, on adopta, sur le conseil de Lévy-Dorville, ce nom baroque d'*Incohérence* qui, avec ses syllabes heurtées, peint assez bien l'allure de la chose, sans être absolument juste ». (*La Comédie humaine*,n° 3, 7 novembre 1886, p. 7). Jules Lévy avance une autre explication : « Le titre n'était pas encore trouvé ; un de mes amis d'alors, M. E. Lévy-Dorville (rendons à César...) crut et avec raison que le mot *Incohérent* faisait pièce comme euphonie au mot *Décoratif*, qui était en honneur, pour le moment, le premier million de la loterie des Arts du même nom ayant montré le bout du nez ». (*Le Courrier français*, 12 mars 1885, art. cit.).

Les Incohérents naissent à un moment particulièrement favorable : le Salon annuel traverse une crise institutionnelle qui ébranle fortement sa crédibilité. Les Arts incohérents, sorte de contre-Salon burlesque, font alors fonction d'exutoire par rapport à cette institution décriée.

Mais les Arts incohérents ne sont pas seulement une exposition artistique d'un genre particulier, c'est aussi un spectacle. A ce titre, ils s'insèrent dans le cadre plus large des divertissements parisiens qui, en cette fin de siècle, connaissent un essor prodigieux.

Enfin, les Incohérents ont su exploiter les ressources médiatiques de leur époque : journaux, affiches, cartons d'invitation distribués avec largesse contribuent à faire connaître ces manifestations d'un genre nouveau.

Situés au carrefour des arts et des spectacles, les Arts incohérents sont une œuvre collective à laquelle ont pris part des personnalités issues d'horizons divers, mais partageant un certain nombre de points communs : artistes, écrivains ou comédiens, les Incohérents gravitent tous dans le monde de la presse et du spectacle : chroniqueurs ou caricaturistes, auteurs ou diseurs de monologues, revuïstes... – leur métier est d'amuser et c'est aussi le but que se proposent les Arts incohérents : restaurer la gaîté française étouffée par le pessimisme envahissant de cette fin de siècle.

Mais les Incohérents, et c'est là leur faiblesse, ne forment pas un groupe structuré : ils fonctionnent au coup par coup, sous l'impulsion de l'inventeur et animateur du mouvement, Jules Lévy. Pris par d'autres activités, celui-ci décide bientôt de mettre fin à l'expérience. Lorsque les Incohérents referont surface en 1889, alors que l'Exposition universelle bat son plein, il sera trop tard : le public versatile, un moment séduit par le caractère inattendu de ces manifestations, n'adhère plus à un mouvement qui sent le réchauffé. D'autant que les oeuvres présentées aux expositions ne se renouvellent guère, pas plus que ne le font les nombreux bals organisés par la suite. La dernière exposition, en 1893, n'est plus qu'une réunion de caricatures de mœurs qui exploitent les thèmes du jour : scandale de Panama, Loïe Fuller ou le pétomane... Le caractère novateur des Arts incohérents a fait long feu.

Or, ce qui a fait l'intérêt des Arts incohérents, ce sont les œuvres réalisées dans ce contexte : nombreux furent les procédés qu'expérimentèrent les exposants, depuis le monochroïde jusqu'à l'œuvre-objet, en tirant parti des ressources de

Fig 1   Michelez, *Vue générale d'une salle du Salon annuel,* 1861

la langue : calembours, mots pris au pied de la lettre, rébus, homonymies, homophonies... Autant d'inventions qui annoncent un certain XXe siècle bien oublieux de ces précurseurs fumistes.

Les Arts incohérents, un contre-Salon parodique

Lorsque les Incohérents organisent leur première exposition, en 1882, le Salon annuel, qui permet aux artistes qui y sont admis de faire connaître au public leurs oeuvres récentes, traverse une crise[3]. L'Etat qui, depuis la réorganisation de celui-ci en 1791, en assurait la gestion, a déclaré forfait en 1880, laissant cette charge aux artistes eux-mêmes réunis en un comité élu, qui prend le titre, en 1882, de Société des Artistes français. Le Salon devient ainsi un organe privé, même si l'Etat continue de lui accorder son soutien moral. A partir de ce moment, des Salons concurrents ou complémentaires vont rapidement voir le jour : Salon des Indépendants sans jury ni récompense en 1884, Société nationale des Beaux-Arts née d'une scission de la Société des Artistes français en 1890, Salon d'automne en 1903.

3. Sur ce sujet, on consultera Pierre Vaisse, 1980, chap. IV « L'abandon des Salons ». L'article de Jean-Paul Bouillon, 1986, fait le point sur l'état de la question.

Le désengagement de l'Etat, suivi de l'éclatement du Salon en fractions rivales, est l'aboutissement d'une situation de crise, latente depuis plusieurs années.

Le nombre pléthorique des œuvres exposées – 7 289 toutes techniques confondues en 1880 contre 3 657 en 1 874, soit un doublement des effectifs en six ans seulement –, la médiocrité inlassablement dénoncée par la critique de la majorité des envois aboutissent à une situation bloquée : le Salon, même s'il continue de jouer un rôle primordial en établissant un lien nécessaire entre les artistes et le public, se révèle inadapté à la double fonction qui lui est impartie, à savoir assurer non seulement la diffusion mais aussi la valorisation de la production artistique. Cette inadéquation explique la décision prise par l'administration des Beaux-Arts de laisser aux artistes eux-mêmes la responsabilité d'une exposition vivement critiquée, qui est perçue comme un gigantesque bazar (Fig 1). Le premier Salon organisé sous l'égide de la Société des Artistes français se tient en 1881 ; un an après, s'ouvre la première exposition des Arts incohérents.

Cette corrélation n'est pas fortuite ; la création des Arts incohérents, qui d'emblée est perçue comme un contre-Salon parodique, n'est possible que dans la mesure où la légitimité du Salon se trouve fortement ébranlée, alors que la valeur des oeuvres qui y sont reçues est mise en doute.

Certes, les Arts incohérents ne sont pas nés *ex nihilo* : depuis la Monarchie de Juillet, époque où les choix du jury qui statue sur l'admission des oeuvres ont commencé à être contestés, il existe une tradition des Salons caricaturaux fortement ancrée dans la presse illustrée[4] ; il s'agit d'une critique par l'image, sous forme de vignettes parodiques, des oeuvres exposées au Salon **(Cat 194 et 195)**. Pratiquée par des dessinateurs de presse spécialisés, elle reste limitée au cadre du journal. Les Arts incohérents s'insèrent dans cette lignée, mais y opèrent une transformation radicale ; pour la première fois en effet, mise à part une tentative individuelle sans lendemain[5], la caricature va revendiquer le statut d'œuvre d'art, à travers un changement d'échelle et de support : délaissant le cadre étroit du journal, les Arts incohérents investissent les cimaises d'une exposition qu'ils ont créée à cette fin. Pour la première fois aussi, il s'agit d'une entreprise collective qui se dote des moyens propres à assurer sa longévité. Cette entreprise va prendre pour modèle le Salon annuel, en se livrant à un jeu

4. *Cf* à ce sujet Thierry Chabanne, 1990. La présente exposition-dossier constitue, dans une certaine mesure, un prolongement à celle consacrée par celui-ci aux Salons caricaturaux (Musée d'Orsay, octobre 1990 - janvier 1991)

5. En 1870, le photographe belge Louis Ghémar organisa à Bruxelles une « exposition fantaisiste des œuvres de l'art contemporain », réunion de tableaux parodiant des oeuvres d'artistes célèbres. Un épais catalogue illustré, reproduisant 120 œuvres, conserve le souvenir de cette tentative qui n'eut pas de suite (*Musée Ghémar. Catalogue illustré du Salon de 1870*, Bruxelles, 1870). *Cf* Jacques Van Lennep, 1970.

Caricatures par Bertal (1).

M. Bertal est un jeune artiste qui doit, je ne dirai pas donner de brillantes espérances, mais inspirer des craintes sérieuses à ses concitoyens; car il se moque impitoyablement de tout : hommes, bêtes ou choses. Ce redoutable critique n'écrit pas, il dessine; mais ses victimes n'en sont que plus à plaindre; il les fait si ressemblantes, qu'il leur est impossible de ne pas se reconnaître. Malheur aux ridicules que rencontre M. Bertal! ils sont aussitôt signalés à la risée publique. — Souvent même, — comment peut-on avoir un semblable courage? — le cruel jeune homme, — cet âge est sans pitié, — nous fait rire malgré nous aux dépens des individus les plus inoffensifs et les moins comiques qui se puissent voir.

Quelquefois, mais rarement, il se contente de nous représenter, d'après nature, un père de famille lisant, pendant sa promenade, un délicieux numéro de l'*Illustration*.

et contemplant la machine aérienne de M. Henson, qui transporte rapidement de Paris à Saint-Cloud une cargaison de touristes; mais bientôt le naturel reprend le dessus, et M. Bertal est sans pitié; nous n'oserions ajouter sans remords.

N'a-t-il donc jamais pris plaisir à entendre Duprez chanter son bel air : *Asile héréditaire*, qu'il nous le montre courant à perdre haleine après son *ut de poitrine*?

Si ressemblantes qu'elles paraissent, mademoiselle Rachel et mademoiselle Georges ne sont réellement ni aussi maigres, ni aussi grasses que ces deux caricatures :

Que M. Bertal se moque de certains tableaux exposés au

(1) *Les Omnibus, pérégrination burlesque à travers tous clefs*, chez J. Rousset, rue Richelieu, 76. On souscrit en payant 20 livraisons à 50 cent., soit 6 fr. pour Paris, et 55 cent., soit 7 fr. pour les départements. Envoyer *franco* un mandat sur la poste. Sept livraisons sont en vente, savoir :

1re liv. En route. — Un peu de tout.	50 vig.		
2e — Aux Femmes.	20	EN 7 LIV.	
3et 4e — Les Buses-Graves.	60	208 vignettes	
5e — La Comète.	50	pour	
6e — Lucrèce et Judith.	50	2 fr. 10 c.	
7e — Le Salon de 1847.	58		

Salon, je le lui pardonne, — surtout lorsqu'il nous représente une vue de la Hougue (effet de nuit), par M. Jean-Louis Petit (n° 958).

ou Napoléon en raccourci, par M. J.-B. Mauzaisse (n° 844), et le portrait de madame la marquise de...., par Lehmann (n° 754).

Les Buses-Graves, je les lui abandonne encore; car ces infortunés vieillards, au lieu de se retirer dans leur bourg, persistent à se faire siffler jusqu'à la 40e représentation par un auditoire de moins en moins géant.

Mais est-il juste de traiter avec la même sévérité que ces vieillards stupides, la noble et chaste Lucrèce et la pâle Judith? — La caricature, me répondra M. Bertal, a le droit de se moquer de tout, du laid, du beau et du médiocre. Heureusement pour lui nous n'avons pas le temps de discuter, — et nous reconnaissons, après tout, que notre critique a fait des charges fort spirituelles des plus belles scènes de la remarquable tragédie de M. Ponsard. Voyez Valère et Brute causant politique :

Lucrèce racontant son songe à sa nourrice, pendant

que celle-ci, qui possède la clef des songes, lui tire les

cartes à l'instar de mademoiselle Lenormand, et qu'une jeune esclave joue un air varié sur un instrument fort peu éolien.

Sextus faisant une déclaration d'amour à Lucrèce :

et la grande scène finale, que nos lecteurs trouveront à la 7e page de cette livraison :

M. Bertal a été moins bien inspiré par Judith que par Lucrèce. Cependant, nous avons remarqué dans son feuilleton la scène où la veuve Manassé fait mettre à genoux Mindus, Achior et Crioch :

et son repas de noce avec Holopherne :

Terminons cet examen critique des Omnibus comme un numéro de l'*Illustration*, — par une gravure de modes qui

nous donne des échantillons de nos costumes les plus élégants.

Cat 195　Bertall, *Caricatures*, 1843

subtil de référence et d'esquive par rapport à celui-ci, tant dans son organisation que dans le choix des oeuvres présentées. Les catalogues imprimés, tout comme les commentaires de presse, témoignent de cette équivoque soigneusement entretenue.

Si les deux expositions de 1882 présentent encore tous les caractères de l'improvisation et peuvent être considérées comme des bans d'essai, -il n'en va plus de même à partir de 1883. Dès ce moment en effet, les conditions nécessaires au bon fonctionnement des Arts incohérents se trouvent réunies. Deux mois avant l'ouverture de l'exposition, un règlement en treize articles en fixe les modalités **(Cat 10)** ; il s'inspire des principales dispositions contenues dans le règlement du Salon annuel – dépôt des ouvrages, admissions, entrées – et se révèle parfaitement conforme à celui-ci, sauf dans son article 5, qui énonce : « Toutes les œuvres seront admises, les oeuvres obscènes ou sérieuses exceptées ». C'est par le biais de cet article apparemment anodin que l'esprit incohérent fait surface :

– L'absence de sélection des œuvres est contraire au principe du Salon annuel, dans lequel un jury élu statue sur l'admission ou le rejet des oeuvres qui lui sont soumises.

– La seule restriction dûment notifiée à l'admission aux Arts incohérents concerne « les œuvres obscènes ou sérieuses ». Or, si l'obscénité a toujours été d'évidence bannie des cimaises du Salon, inversement le sérieux des œuvres constitue une condition préalable et tacite à leur admission. Les Arts incohérents affichent leur détermination à se situer entre ces deux pôles qu'ils rejettent conjointement ; la conjonction disjonctive « ou » établit une équivalence incongrue entre l'obscène et le sérieux, introduisant un doute insinueux : le sérieux serait-il obscène ?

Pour le reste, et bien que décalés par rapport au Salon - celui-ci ouvre en mai, ceux-là en octobre, du moins les premiers temps –, les Arts incohérents se règlent, dans leur organisation matérielle, sur l'exposition annuelle ; le droit d'entrée varie en fonction des jours de la semaine : fixé à 1F05, il augmente le vendredi, jour sélect (1F95), pour décroître le dimanche, jour populaire (0F65). Au Salon, des cartes d'entrée gratuite sont délivrées aux exposants et à la presse ; les Incohérents vont exceller dans ce domaine, qui prend une extension démesurée : chaque exposition en effet donne lieu à la réalisation de quatre cartons illustrés - invitation au vernis-

COURCÉ DE FIACRE dit COMTE VINAIGRIER DE LA PER-
SILLIÈRE, né Ophite de Gaz au Crézot de fontaine
de parents mineurs, demeure où il pleut.

86. — *Une tête de veau à l'huile.* une !

87. — *Pierrot et Colombine.*

DANTAU (Georges), né Trèsporc, Élève de Saint-Antoine
(ça se trouve bien), 32, rue des Tilleuls (Boulogne-
sur-Scène).

88. — *Lapin Grillé* (Prière de ne pas jeter du pain
aux bêtes).

89. — *Portrait de Tu-Duc,* sur allumettes.

DAUMIER (H.).

90. — Le *vieux tragédien* (aquarelle prêtée par
M. Paul Eudel).

DELACOUR (Charles), né à Paris, il y a quelque temps.
— Porte toute sa barbe, mais se ferait raser au
besoin. — Nature délicate mais tendre. — Chanteur par goût, mais poète par vocation.

91. — *Effet de mère et de lune tout à la fois.*

DELPY (pas Albert), né à Joigny (Yonne), élève de
Jules Lévy.

92. — *Paysages autour d'un cadre.*

DESPORTES (F.), élève de Pils et Robert Fleury, né
à Lyon en 1849. 30, rue Baudin, Paris. — Réclame un jour favorable pour son tableau.

93. — *Joseph Bara* (Honni soit qui mal y pense!).

DÉTOUCHE ATOUT (Henri-Julien), peintre moderniste,
né, dès son âge le plus tendre, à Paris, élève des
Maîtres, rue de la Tour-d'Auvergne, 39.

CASTELLANI (CARLES), né à Bruxelles, naturalisé français.
élève de M. Yvon. — Boulevard Eugène, 71 (Neuilly),

485 — *Mort du commandant Rivière.*

CASTEX-DÉGRANGE (ADOLPHE), né à Marseille. — A Lyon
Palais des Arts ; et, à Paris, chez M. Chenoz, rue de
Condé, 29.

486 — *Envoi de Provence.*

487 — *Etude.*

Appartient à M. ***.

CASTIGLIONE (GIUSEPPE), né à Naples. — Place Pigalle, 11

488 — *Portrait de l'auteur.*

489 — *Portrait de Mme M...*

CASTRES (ÉDOUARD), né à Genève, élève de Zamacoïs et de
Menn. — H. C. — A Etrembières, par Annemasse
(Haute-Savoie) ; et, à Paris, chez M. Piguet, rue
Nouvelle, 1.

490 — *La vie des champs.*

CATE (SYBE-JOHANNÈS TEN), né à Sneek (Hollande), élève de
l'Académie des Beaux-Arts d'Amsterdam. — Avenue
de Villiers, 147.

491 — *L'Escaut, à Anvers.*

CAUCANNIER (DENIS), né à Paris, élève de Pils et de
MM. J. Lefebvre et Ballavoine. — Rue Tourlaque, 7.

492 — *La femme de Putiphar.*

CAUCHOIS (EUGÈNE-HENRI), né à Rouen, élève de M. Duboc.
— A Bruxelles, rue de Liedekerke, 80.

493 — *Panier de raisin.*

Appartient à M. Hollande.

JAUSSE (Mme MARIE, née RAVENEZ), née à Mulhouse (Al-
sace), élève de MM. Henner et Carolus-Duran. — A-
venue Malakoff, 121.

494 — *Portrait d'enfant.*

CAVÉ (JULES-CYRILLE), né à Paris, élève de MM. Bougue-
riau et T. Robert-Fleury. — Rue du Ranelagh, 54.

495 — *Portrait de M. C...*

Cat 2 *Une page du catalogue de l'exposition
des Arts incohérents*, 1883

Fig 2 *Une page du catalogue du Salon
des artistes français*, 1885

sage, service de la presse, carte d'exposant, entrée du vendredi - confiés à des artistes différents qui font assaut de verve
et d'incohérence **(Cat 7 à 28)**. « Un imprimeur des Incohérents »,
lui-même exposant, se charge de leur exécution[6]. Ce n'est que
le prélude à une pratique qui culminera avec la création des
bals incohérents, prétextes à une production prolifique de cartons illustrés **(Cat 45 à 75)**.

A l'instar du règlement, les catalogues des Arts incohérents
se conforment à ceux des Salons annuels. Présentée par ordre
alphabétique, la liste des exposants comporte les indications
suivantes : lieu de naissance de l'artiste, nom de son professeur, adresse, titre de l'œuvre exposée. Mais, à l'intérieur de
ce schéma obligé, s'opère un glissement rapide vers le non-
sens : ainsi, dans le catalogue de 1883, la première notice présente les signes rassurants de la normalité :

« ABRIAL (Stéphane), peintre. Né à Paris, élève de Herts, rue
Eblé, 4 : n° 1 – *Les Nouvelles* »

6. Il s'agit de Jacques Gouéry, 27 rue de
Seine, qui expose en 1883 *La Justice poursuivant le crime.*

Mais, dès la troisième, la confusion s'installe :

« ALLAIS (Alphonse pas XII). Né à Honfleur de parents français, mais honnêtes. Elève de l'école anormale inférieure, 3 place de la Sorbonne : n° 3 – *Première communion de jeunes filles chlorotiques par un temps de neige.* (Acquis par l'Etat. – L'Etat, c'est moi) »

La notice incohérente devient bientôt un exercice de style obligé, qui n'évite pas toujours les écueils de la redite **(Cat 2)**. Quoi qu'il en soit, elle ne peut se lire valablement qu'en référence à la notice de Salon, dont elle constitue la contrepartie parodique (Fig.2).

Les Arts incohérents se doteront bientôt de livrets illustrés, comme il en existe déjà pour les Salons annuels depuis 1876. A partir de 1884, coexistent ainsi deux versions, l'une comportant seulement des notices, l'autre enrichie d'une sélection de dessins exécutés d'après leurs oeuvres par les exposants. Fortuitement ou à dessein, le catalogue de 1884 est édité par « E. Bernard et Cie, imprimeurs-éditeurs », qui réalisent aussi le catalogue du Salon annuel. Moyennant quoi, une réclame pour le « Catalogue illustré de l'exposition des Arts incohérents » sera insérée à la dernière page du livret du Salon annuel de 1885 ; une manière comme une autre d'officialiser l'entreprise (Fig 3)...

CATALOGUE ILLUSTRÉ DE L'EXPOSITION
DES
ARTS INCOHÉRENTS
1 volume in.8° contenant plus de 100 reproductions et la nomenclature des œuvres exposées.
Prix : 3 fr.   Prix: 3 fr.

Fig 3 « Publications de la librairie E. Bernard et Cie », *in Catalogue du Salon des artistes français*, 1885

Le lien qui unit les Arts incohérents au Salon annuel ne tient pas seulement à leur organisation. Dans la lignée des Salons caricaturaux, les Incohérents parodient les oeuvres les plus célèbres du Salon annuel. Certains artistes en particulier les inspirent : Puvis de Chavannes **(Cat 196)**, Ernest Meissonier **(Cat 204)**, Henner **(Cat 203)**. Ces détournements ne constituent cependant qu'une part minime de l'activité multiforme déployée par les Incohérents. Mais ces références à des œuvres connues des visiteurs qui fréquentent le Salon annuel permettent d'établir un lien de connivence entre les Incohérents et leur public, que le caractère proprement aberrant de certaines de leurs oeuvres risquerait de rebuter. Devant les parodies des tableaux du Salon, le spectateur se trouve en terrain familier, retrouvant la tradition des Salons comiques.

Nés au moment où la crédibilité du Salon annuel était compromise, les Arts incohérents offrent un exutoire aux lassitudes du public face à une institution sclérosée, mais cependant incontournable. Exutoire au demeurant anodin ; les Incohérents se défendent d'appartenir à quelque école que ce soit, se situant résolument en marge du jeu artistique dont ils bousculent allègrement les règles : « Ils ne sont ni impressionnistes, ni essayistes, ni voyistes, ni intentionnistes, ni barbouillistes, ni quoique-ce-soitistes » déclarent les « deux critiques distingués » auteurs de l'avant-propos au catalogue des Arts incohérents de 1886, dans une joyeuse confusion des termes[7]. Jules Lévy confirmera un an plus tard : « Les Incohérents n'ont aucune prétention ». Invité à rire sans arrière pensée devant des oeuvres conçues à cette fin, comment le public pourrait-il s'offusquer ?

Reste que les Incohérents proclament un idéal : « Il faut réhabiliter cette gloire nationale qu'on nomme l'esprit français, c'est pourquoi les Incohérents sont venus », énonce doctement Jules Lévy, qui précise : « La gaîté est le propre du Français, soyons Français, nom d'un petit bonhomme !! » (art. cit).

La gaîté est à l'ordre du jour : pour lutter contre l'ennui, les Français – du moins les classes aisées – disposent d'un impressionnant arsenal de divertissements : du café-concert à l'Opéra, chacun peut y trouver son compte.

Les manifestations incohérentes – et la part grandissante que se taillent les bals dans leurs activités en témoigne suffisamment – s'insèrent dans ce contexte.

Les Arts incohérents, un spectacle inédit

Les années 1880 se caractérisent par la multiplication des types de divertissements offerts au public et par leur diversification. De nouvelles formes de spectacles se développent sous la IIIème République, qui s'adressent prioritairement au Tout-Paris mondain et oisif en quête de plaisirs inédits, public privi-

7. *La Chronique parisienne* (26 octobre 1884) identifie les deux auteurs : il s'agirait de Charles Leroy et Georges Moynet, humoristes impénitents.

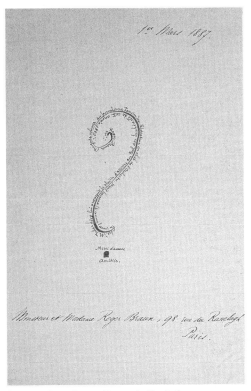

Cat 166 Roger Braun, *Demande d'invitation au bal des Incohérents*, 1887

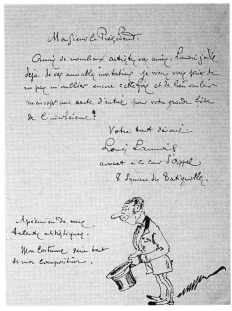

Cat 174 Louis Laumois, *Demande d'invitation au bal des Incohérents*

légié qui est aussi celui que touchent les manifestations incohérentes, comme en témoignent les demandes d'invitation adressées à Jules Lévy qui sont parvenues jusqu'à nous : elles émanent de gens du monde ou d'artistes proches du groupe incohérent **(Cat 163 à 192)**.

Le café-concert, né timidement sous la Monarchie de Juillet, n'a commencé une carrière réelle qu'à la fin du Second Empire, avec l'abolition, en 1867, des mesures restrictives le frappant au bénéfice des théâtres[8]. Après la guerre de 1870, les salles prolifèrent, proposant souvent des numéros de chants improvisés à la hâte. Les directeurs les plus ambitieux procèdent à la modernisation et à l'embellissement de leurs salles et pratiquent une politique de vedettariat, ces mesures ayant pour objet d'attirer une clientèle de haut vol[9].

Plus sophistiqués, des établissements d'un type nouveau voient le jour, qui misent sur la diversification des attractions proposées : au traditionnel tour de chant, viennent ainsi s'adjoindre des numéros empruntés au cirque, au théâtre et à la foire, pour aiguiser la curiosité d'un public tôt blasé. C'est le début du music-hall. La première salle ainsi conçue, les

8. Parmi ces mesures restrictives : il était interdit aux chanteurs de café-concert de se costumer, de dire un texte non chanté, de jouer la pantomime, de danser, d'user d'accessoires... Une campagne de presse orchestrée par des personnalités influentes (F. Sarcey, J. Claretie...) amena l'administration à abolir par décret le privilège des théâtres (31 mars 1867).

9. Ainsi le café-concert de l'Eldorado bd de Strasbourg, l'un des établissements les plus fastueux de l'époque, peut insérer dans l'*Annuaire du commerce* de 1887 la publicité suivante : « L'Eldorado, par son aspect monumental, sa richesse et son éclairage électrique, est une des curiosités de la capitale que tous les étrangers visitent ».

Fig 4   Jules Chéret, *Olympia*, 1893

Folies-Bergère (1869), connaît des débuts cahotiques avant d'imposer sa formule grâce à une direction entreprenante. Sur ce modèle, d'autres établissements se créent, déployant un luxe tapageur, mais séduisant : le Casino de Paris (1891) et l'Olympia (1893) (Fig 4) en sont les réalisations les plus abouties à ce moment, le premier privilégiant la danse, le second misant sur le ballet-féerie[10].

Les bals-spectacles, nés dans les années 1840 avec l'exhibition de célébrités chorégraphiques aux poses provocantes, connaissent une évolution analogue, qui les conduit à diversifier leurs activités. Si certains bals, comme l'Elysée-Montmartre, ont procédé dès le début des années 1880 à un timide essai en ce sens, – l'ouverture du Moulin Rouge, en 1889, marque un tournant : dans un décor éclectique et clinquant, il propose des divertissements disparates, composé de bal, de

10. Sur le café-concert et le music-hall, on se reportera aux ouvrages suivants : André Chadourne, 1886 ; François Caradec et Alain Weill, 1980 ; Philippe Chauveau et André Sallée, 1985 ; Lionel Richard, 1991.

café-concert et de fête foraine : si le clou de la soirée reste le quadrille naturaliste, de nombreux numéros s'y adjoignent, qui exploitent habilement les ressources architecturales du lieu : les flancs d'un éléphant en plâtre, vestige de l'Exposition universelle, abritent pétomane et danses du ventre, une petite scène est réservée aux chanteurs, des promenades à dos d'âne sont offertes dans le jardin, tandis que la salle principale, au vaste promenoir, est dévolue aux évolutions des chahuteuses. D'emblée, l'établissement conquiert une clientèle de noceurs et d'oisifs, attirée par le mélange de faste et de vulgarité qui y règne.

Montmartre, où s'installe le Moulin-Rouge, est à cette époque un haut lieu de plaisirs : à l'exemple du Chat noir, cabaret fondé fin 1881, bientôt doublé d'un journal, qui a su mettre en scène la bohème artiste du lieu de manière à la rendre accessible à un public bourgeois en quête de dépaysement, des établissements d'un genre voisin - cabarets à prétention artistique, tavernes, brasseries au décor évocateur - se sont multipliés dans un périmètre restreint[11] ; une telle concentration est propre à attirer les noctambules, qui passent ainsi d'un lieu à l'autre au gré de leur humeur.

Les Arts incohérents s'insèrent dans ce processus de diversification amorcé dès les années 1870 et qui atteint son apogée à la fin du siècle ; au sein de leurs expositions, mondes de l'art et des spectacles interfèrent : il y a là un mélange des genres inédit, et par là même attirant, qui contribue au succès de leurs manifestations peut-être autant que les oeuvres présentées.

La naissance des Arts incohérents, en août 1882, est placée sous le signe de la fête : ses membres se produisent dans une baraque improvisée, dans le cadre d'une kermesse de bienfaisance. Les fêtes de charité battent leur plein à cette époque et les femmes du monde, dames patronnesses d'un jour, y font assaut de charme et d'élégance au nom d'une vertueuse philanthropie[12]. Devant la baraque des Incohérents, actrices et demi-mondaines battent le rappel : « Mmes Godin, Legault, Léo, Isabelle, Elisa Lebrun, Céline Bertaud... y faisaient tour à tour la parade » note avec amusement le feuilletoniste du *Voltaire* (5 août 1882). Ce mélange de boniment et d'art est caractéristique des Arts incohérents.

En province, les fêtes de bienfaisance feront éclore d'éphémères vocations incohérentes qui prendront prétexte de ces

11. Sur les cafés et cabarets montmartrois, cf John Grand-Carteret, 1886 ; Mariel Oberthur, 1984 ; Phillip Dennis Cate, 1988 ; Lionel Richard, 1991. Parmi les établissements montmartrois les plus courus du moment, on mentionnera : *Le Rat mort*, ouvert dès 1872 (décors de Faverot), *L'Auberge du clou* ouverte en 1883 (décors de Willette, H. Somm et H. Rivière), *L'Abbaye de Thélème* (décor moyenâgeux de Henri Pille), *Le Divan japonais* fondé par un marchand d'olives poète, Jehan Sarrazin (Yvette Guilbert y fit ses débuts de chanteuse), *La Taverne du bagne* fondée par un ancien Communard, Maxime Lisbonne, *L'Ane rouge*, ouvert en 1890 par le frère de Rodolphe Salis, Gabriel Salis, sur l'emplacement de *La Grande Pinte* (décors de Willette), enfin le plus célèbre aujourd'hui encore, *Le Mirliton* d'Aristide Bruant qui s'installe dans le local occupé par *Le Chat noir* lorsque celui-ci déménage en 1885... Citons encore des cafés aux décors aussi pittoresques que leurs titres : *Le Ciel*, *L'Enfer*, *Le Néant*... On notera que les artistes qui réalisent les décors de ces établissements se situent dans la mouvance incohérente.

12. Dans un article intitulé « les fêtes de charité » (*L'Illustration*, 10 mars 1889), un chroniqueur dénonce le danger que représente l'abus de ce type de divertissements : « Ce genre d'attractions (...) est particulièrement à l'ordre du jour. On en use à tout propos et même on en abuse, sans se rendre compte, peut-être, que nul n'est plus changeant dans ses goûts, plus mobile dans ses préférences et ses engouements, que la société parisienne, et que les choses qui l'amusent et la captivent le plus, poussées trop loin ou continuées trop longtemps, finissent par la lasser et par être complètement abandonnées ». De la kermesse organisée au profit des pauvres ou pour la construction d'un hospice, à celle organisée pour venir en aide aux victimes d'une catastrophe – sécheresse en Algérie, séisme en Italie, inondations dans le sud de la France, etc.-, tout est prétexte à fêtes de bienfaisance. Les journaux prennent part à cet engoûment, en publiant des numéros spéciaux vendus au profit des victimes de catastrophes, manière somme toute peu onéreuse de faire montre de philanthropie.

réjouissances pour s'afficher : c'est le cas à Rouen en 1884, à Besançon en 1888, à Nancy en 1890, à Grenoble en 1891...

A Paris, le caractère charitable et festif des Arts incohérents ne se démentira pas : jusqu'en 1886, les expositions ont toujours lieu au profit d'associations de bienfaisance. Chaque vernissage est prétexte à des sortes de « happenings » auxquels les comédiens des théâtres avoisinants apportent leur concours ; ainsi, en 1884, « les exposants se promènent dans les salles avec des échelles ornées de cet écriteau : je vernis ! », tandis qu'à l'entrée « des dames quêteuses (Mmes Léontine Godin, Berthe Mariani, etc) ont fait appel à la générosité des assistants pour venir en aide à l'œuvre très cohérente de l'Orphelinat des Arts » (*Le Gil Blas*, 21 octobre 1884). Bientôt, aux expositions s'adjoindront des bals costumés. Dès l'origine d'ailleurs était prévu, à l'initiative du « spirituel organisateur de cette très extraordinaire Exposition », « un grand Bal masqué costumé dans le palais féerique de l'Elysée-Montmartre » pour « fêter l'anniversaire de la fondation de l'illustre cabaret du *Chat noir* ». Il semble bien que ce projet, où les Arts, en la personne de Jules Lévy, rendaient hommage à un haut lieu des plaisirs parisiens, n'ait pas abouti[13].

C'est seulement trois ans plus tard que les Incohérents organiseront leur premier bal costumé à l'occasion de la Mi-Carême, y conviant le Tout-Paris artiste et mondain **(Cat 45 et 46)**. La presse unanime salue l'événement, retrouvant dans cette fête « le carnaval d'autrefois, le gai, l'incomparable, le fou carnaval de nos pères » (*Le Voltaire*, 14 mars 1885). Et de noter que « les invités, presque tous journalistes, artistes peintres, sculpteurs, musiciens, comédiennes et autres s'étaient ingéniés à se travestir de la façon la plus cocasse qui soit » *(idem)*. Par ces bals, les Incohérents renouent avec une tradition carnavalesque tombée en désuétude que, presque seul, le bal annuel de l'Opéra tentait de perpétuer. Ce faisant, ils répondent à l'attente d'une société en mal de divertissements.

Après 1889, les bals formeront l'essentiel de l'activité des Incohérents. A partir de ce moment, l'équilibre est rompu : le spectacle prend le pas sur l'exposition, et les Arts incohérents perdent ce qui donnait à leur mouvement un caractère unique, le subtil dosage d'art et de fête.

Le lien qui unit les Incohérents au monde du spectacle ne tient pas seulement à la mise en scène dont ils savent entourer

13. Annoncé dans le numéro spécial du *Chat noir* qui sert de catalogue à l'exposition des Arts incohérents en 1882 (1er octobre), le bal n'est plus mentionné dans le journal par la suite.

leurs manifestations ; celles-ci ont pour cadre des établissements situés à proximité des boulevards, où se trouvent concentrés les théâtres et cafés en vogue fréquentés par une clientèle fortunée et disponible. Les Incohérents ont compris très tôt que, pour atteindre le public auquel ils s'adressaient, il leur fallait venir à sa rencontre. C'est pourquoi ils n'hésiteront pas à investir des salles de spectacle, – stratégie qui se révèlera efficace.

Si l'exposition d'un jour en 1882, dans l'appartement de Jules Lévy, constituait une réussite, il ne pouvait être question de renouveler l'expérience au même endroit.

Pour leurs expositions de 1883 et 1884, les Incohérents louent, galerie Vivienne, un local à usage de magasin vacant à ce moment-là. A cette époque, ce passage est entré dans une phase de déclin[14], mais sa position avantageuse au coeur du quartier des affaires, à proximité des journaux et des théâtres, explique sans doute le choix de ce lieu. En décembre 1883, une autre exposition se tiendra dans le même local, celle des oeuvres du maître caricaturiste André Gill organisée par son disciple Emile Cohl, Incohérent assidu.

Pour leur premier bal en 1885, les Incohérents se déplacent, tout en restant dans le même quartier : ils élisent domicile dans une salle de concerts inoccupée, les Concerts-Promenades de Paris rue Vivienne, où aura lieu aussi leur second bal l'année suivante. Entre-temps, la salle est passée aux mains d'Olivier Métra, compositeur et chef d'orchestre au faîte de sa carrière, qui anime chaque année les bals de l'Opéra et qui, en 1885, a prêté son concours au premier bal incohérent. L'orchestre du bal de 1886 est d'ailleurs conduit, comme le précédent, par le compositeur.

Fin 1886, les Incohérents présentent une nouvelle exposition de leurs oeuvres. Cette fois, ils s'installent dans le foyer d'un théâtre ouvert depuis peu (1883), l'Eden-Théâtre, « le théâtre le plus vaste et le plus somptueux de Paris, après l'Opéra »[15] dont ne le séparent que quelques rues **(Cat 76)**. Cet édifice grandiose, aux allures de temple hindou, triomphe de l'éclectisme architectural, propose à ses mille deux cents spectateurs assis des ballets et féeries à grand spectacle nécessitant la participation de cinq cents figurants. On comprend dans ces conditions que l'Eden-Théâtre se soit révélé rapidement ingérable : après plusieurs tentatives infructueuses de réaménagement, il est démoli en 1893, dix ans à peine après son ouverture. Mais lorsque les Incohérents s'y

14. *Cf* Bertrand Lemoine, 1989,p. 187-195.

15. Article « Eden-Théâtre », *Grand Dictionnaire universel du XIXe siècle*, 2e supplément, d. (vers 1890).

produisent, en 1886, ce théâtre est en pleine activité ; en choi-sissant cette salle, ils entendent frapper un coup d'éclat et pro-fiter du large public qu'elle draîne : en témoignent les horaires tardifs d'ouverture de l'exposition, « de 1 heure du soir à minuit », adaptés à ceux du théâtre.

L'année suivante, le décor change : pour leur troisième et dernier bal, les Incohérents s'installent aux Folies-Bergère qui viennent de rouvrir après la mise en faillite de leur actif direc-teur, Sari : les époux Allemand, déjà propriétaires du café-concert de la Scala boulevard de Strasbourg et bientôt acqué-reurs de son concurrent direct l'Eldorado, ont repris les Folies-Bergère depuis quelques mois (novembre 1886) et viennent de créer la première revue à grand spectacle, *Place au Jeûne*, dont le succès a dépassé les prévisions. C'est donc dans un établissement prospère que les Incohérents célèbrent les obsèques de l'incohérence, une fête où se pressent plus de deux mille invités.

Après un an d'interruption, le retour des Incohérents sur la scène parisienne s'avère difficile : à nouveau, l'Eden-Théâtre accueille leur bal de la Mi-Carême, mais cet établissement trop ambitieux est en pleine restructuration : depuis le mois de février, il s'est transformé en un « concert-promenade » et les ballets à grand spectacle d'antan ont cédé la place, dans un espace remodelé, à des attractions morcelées : on y donne des concerts de musique classique entrecoupés d'intermèdes variés – vélocipédistes, folie espagnole, quadrille incohérent, théâtre de marionnettes, etc –, tandis que le public peut profi-ter des agréments d'un vaste promenoir. L'Eden-Théâtre a perdu son aura d'établissement à grand spectacle pour se fondre dans la cohorte des salles à attractions multiples, et son déclin commence.

L'exposition qu'organisent les Incohérents cette même année 1889, alors que l'Exposition universelle bat son plein entre Champ de Mars et Trocadéro, témoigne de leur diffi-culté à trouver un second souffle ; elle se tient dans un immeuble situé à l'angle du boulevard Bonne-Nouvelle et du Faubourg Poissonnière, dans un quartier fort éloigné du coeur des festivités. Comme à leurs débuts, les Incohérents ont dû se contenter d'un local à usage de magasins et de bureaux, situé qui plus est au fond d'une cour **(Cat 35)**. Il s'agit là d'une régression certaine par rapport à leurs précédentes manifesta-tions et, si leur exposition a bénéficié d'une couverture de presse satisfaisante, on peut douter qu'elle ait remporté mieux

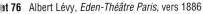

at 76 Albert Lévy, *Eden-Théâtre Paris*, vers 1886

Cat 35 *Allez voir l'exposition des Arts incohérents !*, 1889

qu'un succès d'estime, en dépit de sa durée exceptionnellement longue (cinq mois, du 12 mai au 15 octobre 1889).

Les Incohérents tirent-ils la leçon de ce semi-échec ? Jusqu'en 1893, ils n'organiseront plus d'exposition, rappelant leur existence par des bals de plus en plus fréquents, qui perdent en se banalisant leur caractère d'évènements. Cédant au goût du jour, ils tentent, par l'adjonction d'attractions diverses – une revue en 1891 et 1896, des intermèdes variés les autres années – de redonner à leur bal un attrait qu'il a perdu, supplanté par d'autres fêtes plus inventives : celles du *Courrier français* notamment, leur concurrent direct, qui, à partir de 1887, se tiennent chaque année dans le même établissement, l'Elysée-Montmartre, autour d'un thème renouvelé – « bal mystique » en 1891, « bal des femmes » en 1892, « bal de 1993 » en 1893, etc – qui oblige les invités à faire assaut d'imagination ; le bal des Quat'z'Arts, à partir de 1892, organisé par les étudiants des Beaux-Arts, avec défilé nocturne de Montmartre au Quartier latin. Face à ces émules plus dynamiques, le bal des Incohérents fait figure de survivance. Incapable de se fixer, il émigrera de salle en salle au gré des circonstances : tour à tour le Moulin Rouge, les Folies-Bergère, la Porte Saint-Martin, le Casino de Paris, les Folies-Marigny lui donneront asile. *Le Courrier français* pourra à bon droit prédire, dès 1891 : « Somme toute, l'incohérence a fait son temps. Nous n'en sommes plus à nous amuser de parti pris, sur commande [...]. L'excentricité trop grotesque est morte avec le vieux Bullier. Tout cela est vieillot, passé de mode, l'incohérence a rejoint la décadence, la déliquescence et autres blagues avec ou sans anses dans le sac des vieilles chiffes démodées. (...) Cette année aura vu la *dernière incohérence* ! *Requiescat* ! » (25 janvier 1891).

Il semble que les Incohérents aient tenté un moment de se fixer au Casino de Paris, music-hall nouvellement ouvert en 1891, puisque leurs fêtes ont lieu durant quatre années consécutives à cet endroit, de 1892 à 1895. Mais le dernier bal dont on garde une trace, en 1896, a pour cadre les Folies-Marigny...

Quant à leur ultime exposition, en 1893, elle se tient à l'Olympia, dont les Incohérent essuient les plâtres, au sens propre. C'est en effet avec cette exposition que ce music-hall, dirigé par Joseph Oller qui préside aussi aux destinées du Moulin Rouge et du Jardin de Paris, ouvre ses portes. Annoncée pour le 1er avril **(Cat 26)**, l'inauguration des Arts incohérents est remise malencontreusement au 10 de ce mois, sans doute parce que le local n'est pas prêt. Ce poisson d'avril involontaire met un terme aux expositions qui donnaient aux Arts incohérents leur caractère original. Les bals perdureront au moins jusqu'en 1896, mais on peut se demander si l'épithète « incohérent » représente désormais autre chose qu'un label commode apposé sur une manifestation qui dépend désormais tout entière de Jules Lévy, l'inventeur et l'animateur du mouvement[16].

De ces péripéties, on tirera le constat suivant : les Incohérents ont compris le parti qu'il pouvaient tirer d'une alliance avec le monde des spectacles, en plein essor à ce moment. Mais ils se sont arrêtés en chemin, laissant à d'autres le bénéfice de leur découverte. L'industrieux directeur du *Courrier français*, Jules Roques, saura exploiter au mieux ces fêtes annuelles et les faire servir aux intérêts de son journal. Contrairement au meneur de jeu des Incohérents incapable

16. Il est significatif que le bal annuel des Incohérents, en avril 1895, cède la place à un « bal du régime parlementaire » organisé par Jules Lévy **(Cat 73)**: comme si le label « incohérent » était à ce point dévalorisé qu'il devenait indifférent de le remplacer par un autre.

de fixer durablement dans un lieu les démonstrations du groupe, Jules Roques poursuivra une politique d'alliance qui se révèlera fructueuse : *Le Courrier français* se fera le héraut du bal de l'Elysée-Montmartre qui, en contrepartie, accueillera ses fêtes annuelles. L'établissement de spectacles et le journal s'en trouveront réciproquement confortés.

Les Incohérents, sauf à faire mentir leur titre, ne pouvaient obéir à une telle logique. Dans leurs relations avec la presse, ils connurent des déconvenues analogues. D'emblée pourtant, ils avaient compris l'appui que celle-ci pouvait leur apporter.

Les Arts incohérents et les médias

Nés sous les auspices d'une fête de charité, les Arts incohérents doivent de s'y être installés à l'intervention d'un condisciple de Jules Lévy, Guillaume Livet, journaliste au *Voltaire*, qui « croyait que la primeur de cette folie [les Arts incohérents] serait un grand attrait pour la réussite de la fête »[17]. Ainsi, dès l'origine, journalisme et Arts incohérents ont partie liée.

Cette collusion va se poursuivre ; Jules Lévy est conscient du rôle joué par la presse dans la propagation de l'information et il va s'employer à s'en faire une alliée. De leur côté, les journaux, au premier chef les feuilles légères qui se nourrissent d'échos mondains et de faits-Paris[18] (*Le Gil-Blas* et *L'Echo de Paris* pour les quotidiens, *La Chronique parisienne*, *La Vie parisienne*, *Le Courrier français*, etc. pour les journaux illustrés), voient dans les Arts incohérents une attraction d'un type nouveau susceptible d'intéresser leur public : il leur faut donc en rendre compte.

D'autant que Jules Lévy ne ménage pas ses efforts en direction de la presse : les journalistes reçoivent systématiquement une carte d'entrée permanente aux expositions et des invitations aux bals ; des attentions spéciales leur sont réservées : après la clôture de l'exposition de 1883 par exemple, un « punch de dignation » – les anarchistes venaient de tenir un meeting d'indignation, d'où le titre choisi – est offert « à la Presse parisienne qui a bien voulu prêter son concours aux Arts incohérents ». En 1886, Jules Lévy exprime publiquement sa gratitude aux feuilles qui ont soutenu l'action des Incohérents[19]. Bref, tout est mis en œuvre pour se concilier les bonnes grâces d'une puissance qui fait et défait les réputations : les comptes rendus favorables de la plupart des jour-

17. Jules Lévy, art. cit., 1885

18. Les « faits-Paris » sont des anecdotes relatant les événements parisiens et mondains du jour.

19. *Cf* Préface au second tirage du catalogue de l'exposition des Arts incohérents (1886) reproduite notamment dans les journaux *Le Chat noir* (30 octobre 86) et *La Chronique parisienne* (7 novembre 86).

Deuxième année. — N° 91.

LE NUMÉRO : 10 CENTIMES

Du 28 octobre au 2 novembre 1883

LUTÈCE

Journal Littéraire — Politique — Hebdomadaire

RÉDACTION	LÉO TRÉZENIK	ABONNEMENTS
Tous les Mercredis	RÉDACTEUR EN CHEF	Un an . . . . 7 francs.
De 5 heures à minuit.	**GEORGES RALL**	Six mois. . . . . 4 francs.
Et les autres jours de 5 h. à 6 heures.	SECRÉTAIRE DE LA RÉDACTION	
	Bureaux : Boulevard Saint-Germain, 16, Paris.	On s'abonne sans frais dans tous les Bureaux de Poste.

EXPOSITION

DES

ARTS INCOHÉRENTS

V'LAN

L'OREILLE DE PALADINE

LUTÈCE publie aujourd'hui un numéro tout à fait exceptionnel, reproduisant — dessinés par les auteurs eux-mêmes — quelques unes des principales œuvres qu'on peut admirer tous les jours à l'EXPOSITION DES ARTS INCOHÉRENTS, 55, 57 et 59, Galerie Vivienne.

Le prix de ce numéro extraordinaire ne variera pas néanmoins. Il reste fixé à DIX CENTIMES pour toute la France.

Cat 38 « Exposition des Arts incohérents », *Lutèce*, 1883

naux quant aux manifestations des Arts incohérents montrent assez que ces efforts ont porté leurs fruits, aussi longtemps du moins que le mouvement jouissait des faveurs de l'opinion.En revanche, les tentatives des Incohérents de s'allier durablement à un organe pour en faire une tribune ont tourné court.

En 1882, le premier catalogue des Arts incohérents consiste en un numéro hors série du *Chat noir*, dont plusieurs membres participent à l'exposition, notamment son rédacteur en chef, Emile Goudeau. Mais cette entreprise commune restera sans suite et *Le Chat noir* passera sous silence les manifestations incohérentes jusqu'en 1886.

En 1883, Jules Lévy informe un exposant, Jules Rainaud, qu'un nouveau journal illustré souhaite publier des reproductions d'oeuvres exposées aux Arts incohérents cette année-là **(Cat 15)** ; il s'agit sans doute de *Lutèce* qui consacre effectivement une page illustrée aux Incohérents **(Cat 38)**. Mais la collaboration avec ce petit journal littéraire et frondeur de la Rive gauche en restera là, bien que plusieurs exposants - Emile Cohl notamment - collaborent à cette feuille[20].

La tentative la plus aboutie, mais aussi la plus décevante, est celle qui unit, le temps d'un numéro spécial, *Le Courrier français* et les Incohérents, à l'occasion de leur premier bal en 1885. Journal de moeurs illustré commandité par un pharmacien, Géraudel, inventeur de pastilles miracles contre la toux dont le magazine assure la publicité, *Le Courrier français* a commencé à paraître en novembre 1884[21]. Par son contenu comme par ses dessins, il est proche du *Chat noir* dont il se pose très vite en rival. En mars 1885 – date du premier bal incohérent – le journal a moins de six mois d'existence mais se fait remarquer par la causticité de son ton et par l'excellente tenue de ses caricatures de moeurs. Son directeur, Jules Roques, ancien courtier en publicité[22], a de l'ambition et de l'entregent : il sait s'entourer d'une équipe de jeunes dessinateurs de talent et ne tardera pas à assurer à sa revue la première place parmi les journaux illustrés.

Jules Roques, dont plusieurs collaborateurs participent aux Arts incohérents, comprend tout de suite le parti qu'il peut tirer d'un mouvement qui est alors au plus haut dans les faveurs du public. Il propose donc à Jules Lévy de passer une alliance : *Le Courrier français* consacrera un numéro spécial au bal des Incohérents ; en contrepartie, ceux-ci prêteront leur concours, par des dessins et des textes, à ce numéro qui sera vendu à l'entrée du bal[23].

20. Sur le journal *Lutèce* (1883-1886), berceau du symbolisme auquel il s'oppose bientôt, *cf* Noël Richard, 1961.

21. Il est regrettable qu'il n'existe pas de monographie sur ce journal illustré d'une exceptionnelle longévité (1884-1913), l'un des plus représentatifs des années 1880 par son caractère composite, mélange de réaction et de populisme, de grivoiserie et de réalisme. Les meilleurs dessinateurs du moment y ont participé : Forain, Steinlen, Louis Legrand, Toulouse-Lautrec, Willette notamment ; *Le Courrier français* a inauguré un ton nouveau dans la presse illustrée et ouvert la voie à des journaux plus tardifs et mieux connus, tels *Le Rire* et *L'Assiette au beurre*. Sur *Le Courrier français*, on se référera à Henri Dorra, 1984 et Ph. D. Cate, 1988 (chapitre de Patricia Eckert Boyer, « The artist as illustrator in Fin-de-siècle Paris »).

22. Sur Jules Roques, *cf Les Hommes d'aujourd'hui*, 8e volume, n° 411, s.d. (vers 1893), texte de Michel Zévaco, dessin de Heidbrinck et Willette.

23. *Cf* le texte de la circulaire adressée aux membres des Incohérents, signée conjointement « Jules Roques, directeur du *Courrier français* » et « Jules Lévy, président des *Incohérents* » : « Monsieur, D'accord avec M. Jules Lévy, j'ai l'honneur de vous informer qu'à l'occasion du BAL DES INCOHÉRENTS qui sera donné le 11 mars salle Vivienne, j'ai l'intention de faire un numéro spécial, entièrement consacré aux Incohérents. Ce numéro, contenant le programme complet et détaillé de la soirée, doit être entièrement fait, rédaction et dessins, par les Incohérents eux-mêmes, que je me réserve de remercier ensuite à ma façon. Si vous vouliez être assez grâcieux pour apporter votre pierre à ce monument, par l'envoi d'un manuscrit ou d'un dessin, incohérent autant que possible, nous serions heureux et flattés de vous compter parmi nos collaborateurs pour ce numéro » **(Cat 78)**

Le Courrier français s'assure ainsi le parrainage de l'opération et peut se présenter comme « l'organe officiel et officieux des Incohérents » ; le numéro spécial sort comme prévu le 12 mars 1885, soit le lendemain du bal des Incohérents **(Cat 79)**. Durant un an, il n'est plus question des Incohérents dans ce journal, qui continue cependant à proposer en prime à ses nouveaux abonnés son « numéro spécial des Incohérents ».

Lors du deuxième bal donné par les Incohérents l'année suivante, *Le Courrier français* opère un revirement brutal : très réservé quant à la réussite de la fête, il se montre franchement hostile à son organisateur Jules Lévy, qu'il accuse à mots couverts de vouloir tirer profit de l'opération[24]. Des caricatures très violentes épinglent le directeur des Incohérents[25] qui sera désormais en butte aux attaques systématiques de Jules Roques et de l'équipe du journal, au premier chef le dessinateur Willette, antisémite notoire[26] (Fig 5 et **Cat 139**) ; Jules Lévy en effet ne dissimulait pas son appartenance à la communauté juive.

Pour la postérité cependant, les débuts du *Courrier français* resteront liés aux Arts incohérents : ainsi, John Grand-Carteret, le premier historien à avoir étudié la presse caricaturale, écrit en 1888 que « *Le Courrier français* est devenu peu à peu l'organe des incohérents ou, du moins, de la fraction qui a rompu avec *Le Chat noir* »[27]. Le grand dictionnaire universel du XIXe siècle confirmera quelque temps plus tard : « Un numéro [du *Courrier français*], dont la rédaction artistique et littéraire fut confiée spécialement aux Incohérents, lors du premier bal qu'ils donnèrent, commença la fortune de ce journal »[28].

Si d'évidence *Le Courrier français* sut exploiter au mieux la vogue dont jouissaient les Incohérents, ceux-ci en définitive ne tirèrent aucun bénéfice de l'opération. Désormais, s'ils continuèrent d'entretenir avec la presse des relations cordiales, ils ne cherchèrent plus à établir des liens privilégiés avec un organe particulier.

Ils préfèrent avoir recours à un système de promotion qui leur est personnel et recruter à cette fin dans leurs rangs : pour attirer l'attention, ils auront recours à des affiches - mode de publicité déjà classique à l'époque - et surtout réaliseront des cartons d'invitation et des programmes illustrés qui prennent une extension prodigieuse et constituent un mode d'expression original à part entière[29] ; une vingtaine de dessinateurs, parmi les Incohérents, participent à cette entreprise.

24. « En résumé, [le bal] est une bonne affaire qui procure plaisirs et profits. Espérons qu'il [Jules Lévy] en fera un peu profiter les artistes incohérents qui lui ont servi à obtenir ce résultat » (*Le Courrier français*, « numéro incohérent », 4 avril 1886).

25. *Cf* notamment « Le Directeur perpétuel des Incohérents » par Bias (*CF*, 4 avril 1886) ; « Les suites de l'Incohérence ; Jules Lévy devenu fou » par Willette (*CF*, 11 avril 1886) ; « La femme-singe – KRAO – en ce moment à Toulouse » par Uzès (*CF*, 10 octobre 1886) ; « Jules Lévy, l'éditeur des Incohérents, Saint et Martyr » par Uzès (*CF*, 20 mars 1887). On notera que, en dépit de la cruauté de ses caricatures dirigées contre Jules Lévy, le dessinateur Uzès participe régulièrement aux Arts incohérents entre 1884 et 1889, comme du reste la majeure partie de l'équipe du *Courrier français*.

26. Ainsi, aux élections législatives du 22 septembre 1889, Willette se présente comme « candidat antisémite du IXe arrt » avec le slogan : « Le juif, voilà l'ennemi ! » et exécute à cette occasion une affiche ignominieuse. Malgré cela, il participe la même année à l'exposition des Arts incohérents.

27. John Grand-Carteret, 1888, Appendice I : « Bibliographie et histoire des journaux à caricatures », p. 573.

28. Article « Courrier français », 2e supplément, s.d (vers 1890), p. 934.

29. Léon Maillard, 1898, montre bien le développement que connaît, à la fin du siècle, la production de menus et programmes illustrés. Mais les Incohérents ont poussé le genre du carton illustré à ses limites extrêmes.

t 79 « Les Incohérents », numéro spécial du *Courrier fran-is*, 12 mars 1885

Fig 5   Adolphe Willette, « Les suites de l'Incohérence – Jules Lévy devenu fou », *Le Courrier français*, 11 avril 1886

La cinquantaine de cartons et programmes que nous avons retrouvés – il y en eut sans doute d'autres – atteste de l'ampleur du phénomène.

En définitive, les Incohérents seront toujours restés des marginaux, incapables de se doter d'une structure stable qui aurait assuré à leur mouvement un durable retentissement ; en quoi ils se démarquent d'entreprises comparables – *Le Chat noir* et *Le Courrier français* notamment. Leur projet même supposait l'éphémère et, à trop durer, ne pouvait, comme le notait dès leur deuxième tentative en 1883 le clair-voyant critique Félix Fénéon, « qu'échouer dans le rabâ-chage »[30].

Au reste, l'horizon des participants était trop divers pour qu'ils pussent constituer mieux qu'un groupe de hasard. Seule la ténacité de son directeur, Jules Lévy, assura la continuité d'une entreprise qui n'avait d'autre raison d'être qu'une insou-ciante gratuité.

30. *La Libre Revue*, 1er novembre 1883, repris dans Félix Fénéon, *Œuvres plus que complètes*, 1970, t. I, p. 12-13.

Les Incohérents

Une rapide recension des exposants aux Arts incohérents laisse apparaître un total de 664 participants environ[31].

Chaque exposition draîne son lot de nouveaux venus, qui oscille entre 100 et 120 exposants sur un total de 150 à 200 en moyenne ; certains renouvellent l'expérience, d'autres – la majorité – se limitent à une seule tentative. D'une année sur l'autre, le pourcentage des anciens exposants varie de 1/7 en 1883 – mais les effectifs font plus que doubler cette année-là (150 membres contre 68 en 1882) –, à près de la moitié en 1889 – mais cette exposition présente un caractère exceptionnel, puisque près de la moitié des oeuvres ont déjà figuré à des expositions antérieures. En 1883, 1886, 1893, années moyennes, le nombre des anciens membres se situe entre 1/3 et 1/4. On notera enfin que, sur un total de 664 exposants, 42 seulement ont exposé plus de deux fois.

Ces chiffres restent à affiner. Quelques enseignements s'en dégagent cependant : les Arts incohérents furent le fait d'un noyau de fidèles, auxquels vint s'adjoindre une nébuleuse de curieux, tentés par l'entreprise mais qui n'y donnèrent pas suite.

Autre constatation : la postérité a négligé de retenir les noms de la plupart des exposants – ceux d'un jour en particulier. D'autant que nombre d'entre eux se masquent sous des pseudonymes fantaisistes, ce qui ne facilite pas la tâche de l'observateur ; on se prend à rêver à la lecture de certains noms – Augustin Sosthène Blanchet-Magon, Gaston-Anatole Coursaget, Gît-B-Lévy, Melle Mélancydrée, Népomucène Karlotin... – qui eurent peut-être leur heure de gloire. Plus improbables sont les Frim, Zut, Dada, Spik.A, K-Rabin et autres Vatenvil qu'égrènent les catalogues.

Restent alors ceux, en petit nombre, qui, sans fard, livrèrent leur identité et franchirent victorieusement l'écueil de l'oubli. Encore ceux-là ne sont-ils connus aujourd'hui que des quelques curieux qu'intéressent l'humour et la caricature de la fin du siècle dernier : car c'est dans cette sphère que les Incohérents recrutèrent -ce qui ne saurait surprendre.

31. Ce chiffre est approximatif, car : 1) un même exposant peut changer de pseudonyme d'une année sur l'autre ; 2) un seul pseudonyme peut cacher plusieurs exposants (**Cat 168**) ; 3) nos calculs sont peut-être erronés.

32. Nombreuses sont les allusions au club des Hydropathes, tant dans les recueils de souvenirs de personnalités de l'époque, que dans des études plus récentes. On se référera d'abord à l'histoire qu'en a tracée son président, Emile Goudeau, dans *Dix ans de bohème* (1888) et au roman à clefs de Félicien Champsaur, *Dinah Samuel* (1882). On consultera aussi Noël Richard, 1961 ; J. Somoff et A. Marfée, 1978 et 1986 ; Lionel Richard, 1991. Jules Lévy, 1928, et Raymond de Casteras, 1945, proposent un choix de poèmes et saynètes dits au club des Hydropathes.

6 Cabriol (Georges Lorin, dit), «Emile Goudeau », *L'Hydropathe* n° 1, 22 janvier 1879, et, « Luigi Loir, Les Hydropathes, 11. 12 juin 1879

Noyau initial : Hydropathes et Chat noir

33. « Les Hydropathes » par F. Sarcey, *Le XIXᵉ siècle*, décembre 1878, repris dans *L'Hydropathe*, 22 janvier 1879 ; « Les Hydropathes » par Jules Claretie, article dans *L'Indépendance belge* repris dans *L'Hydropathe*, 19 février 1879. Ces deux articles sont reproduits dans Lionel Richard, 1991, p. 249-251.

34. Sous le titre *L'Hydropathe* ou *Les Hydropathes*, puis *Tout-Paris* « ancien Hydropathe », le journal compta 37 numéros (22 janvier 1879 - 26 juin 1880). Deux numéros exceptionnels parurent par la suite : le 22 décembre 1899, à l'occasion du vingtième anniversaire de la fondation du club ; le 28 décembre 1919, pour commémorer son cinquantième anniversaire. L'initiative en revenait à Jules Lévy, dont le portrait, dû à Georges Lorin (Cabriol) encore en vie à cette époque, faisait la couverture. Une cérémonie au grand amphithéâtre de la Sorbonne, sous la présidence du ministre de l'Instruction publique, se déroula à cette occasion. Il est permis de douter qu'à cette époque les Hydropathes, alors septuagénaires, eussent encore quelque crédit parmi la jeunesse estudiantine.

A l'origine, il y eut le club des Hydropathes, cercle de poètes, musiciens et artistes débutants qui se réunissaient chaque semaine dans un café de la rive gauche pour y livrer au public des compositions – poèmes et musiques – de leur invention ; c'était entre 1878 et 1880[32]. Le club faisait fonction de ban d'essai pour ces nouveaux venus qui, comme bien d'autres avant eux, avaient compris la nécessité de s'unir pour briser l'isolement et se faire connaître. La nouveauté de l'entreprise tenait au caractère public et scénique de leurs réunions. Ils parvinrent en partie à leurs fins : des critiques écoutés comme Francisque Sarcey ou Jules Claretie appelèrent l'attention sur ce groupe sympathique qui leur rappelait leur jeunesse estudiantine[33]. Grâce aux subsides d'un des membres, Paul Vivien, les Hydropathes eurent même leur journal où, chaque semaine, le portrait-charge de l'un d'entre eux trônait en couverture, accompagné, au verso, de sa biographie : une auto-consécration en somme (Fig 6). Pour le reste, les quatre pages du journal se partageaient entre des comptes rendus de séance, des poèmes et des nouvelles diverses[34].

Le groupe tint deux ans, son succès fut sa perte : les réunions attirèrent des éléments extérieurs qui en troublèrent la précaire harmonie. Et le club se saborda.

Les membres les plus entreprenants rejoignirent, à son ouverture en novembre 1881, le cabaret du Chat noir fondé par Rodolphe Salis, dessinateur doublé d'un négociant, qui leur ouvrit ses portes avec enthousiasme. Emile Goudeau, président de feu le club des Hydropathes, devint ainsi le rédacteur du journal *Le Chat Noir* créé deux mois plus tard, - tandis que de nouveaux venus venaient grossir les rangs du cabaret littéraire. Un an après l'ouverture du Chat noir, et à l'enseigne de son journal, se tenait la première exposition des Arts incohérents ; l'initiative en revenait à un ancien hydropathe, assez obscur au demeurant, Jules Lévy.

Cat 110 Antonio de La Gandara, *Salis, Moréas, Rivière, Goudeau*, 1882

Ex-hydropathes et membres du Chat noir constituent le noyau initial des Arts incohérents : Rodolphe Salis et Emile Goudeau figurent ainsi au catalogue de 1882, aux côtés d'Henri Rivière qui fait ses débuts au cabaret, Henri Pille auteur de l'immuable frontispice du journal ou Charles de Sivry qui tiendra la partie de piano au Chat noir. Les expositions de 1883 et 1884 s'augmenteront de l'apport d'autres membres chatnoiresques : le dessinateur Georges Auriol, secrétaire de rédaction du journal, Alphonse Allais, fumiste hydropathe qui remplace Emile Goudeau comme rédacteur en chef en 1885, Mac-Nab, chansonnier et monologuiste, Antonio de la Gandara **(Cat 110)** qui deviendra un portraitiste fort couru... Après 1884 cependant, la participation de l'équipe du Chat noir aux Arts incohérents se fait plus rare, en raison peut-être du rapprochement, pourtant éphémère, entre les Incohérents et *Le Courrier français*.

Hommes de théâtre, journalistes et dessinateurs

Les Arts incohérents ne procèdent pas seulement de l'équipe du Chat noir. Des personnalités issues d'horizons divers y participent dès l'origine.

Le théâtre y est représenté par des auteurs légers et des acteurs spécialisés dans un genre créé par le poète Charles Cros et qui fait fureur dans les salons depuis la fin des années 1870 : le monologue[35]. Un de ses plus habiles interprètes en a dégagé le caractère composite, qui n'est pas sans analogies avec les procédés en faveur aux Arts incohérents : « le monologue est une des expressions les plus originales de la gaieté moderne ; d'un ragoût extraordinairement parisien, où la farce française fumiste et la scie s'allient à la violente conception américaine, où l'invraisemblable et l'imprévu s'ébattent avec tranquillité sur une idée sérieuse, où la réalité et l'impossible se fondent dans une froide fantaisie »[36]. Un certain nombre de ces hommes de théâtre ont appartenu au club des Hydropathes : au premier rang figure Coquelin Cadet, sociétaire de la Comédie-française spécialisé dans les rôles comiques du répertoire et maître incontesté dans l'art du monologue **(Cat 120)** ; lui-même auteur de monologues illustrés par d'anciens Hydropathes membres des Arts incohérents – Luigi Loir, Sapeck, Henri Pille notamment – **(Cat 121 à 124)**, Coquelin Cadet sera un Incohérent assidu, exploitant avec bonheur les ressources du calembour et du détournement

35. En 1881, *L'Illustration* analyse la situation du monologue en ces termes : « Il y a à Paris une véritable monologuomanie (...) Coquelin Cadet a trouvé la formule du divertissement actuel. A la vieille et charmante conversation d'autrefois, il a fait succéder cet étrange divertissement intellectuel, qui agit sur le cerveau comme le chatouillement sur la plante des pieds et qui s'appelle tantôt *l'Obsession*, tantôt *la Poêle à frire*, tantôt *les Marrons sculptés* (...) Le monologue est à l'esprit ce que le saut de carpe d'un clown est à la gymnastique hygiénique. C'est ahurissant plus que séduisant. On se demande si tant d'excentricité ne pousse pas plus avant les bonnes gens sur le grand chemin de Charenton (...) Le monologue, mais c'est la marque distinctive de l'époque où nous vivons. Monologues politiques, monologues littéraires, discours de dessert ou articles de polémique, monologue ! Monologues partout, abus de monologues, épidémies de monologues ! » Cette vogue du monologue infléchit la production littéraire de l'époque ; ainsi, le catalogue de la librairie Paul Ollendorff comporte en 1883 une rubrique « monologues et saynètes » riche de 126 volumes, et cet éditeur n'a pas le monopole du genre, d'autres maisons publiant aussi de nombreux titres, par exemple la librairie théâtrale L. Michaud où paraît en 1883 le monologue *Les Arts incohérents*. C'est là une véritable manne pour les auteurs, acteurs et illustrateurs, à qui ce marché offre des revenus appréciables. L'anthologie réunie par D. Grojnowski et B. Sarrazin, 1990, donne un bon aperçu sur cet art aujourd'hui caduc.

36. Coquelin Cadet, 1881, p. 12.

Cat 120 Alfred Roll, *Coquelin Cadet*, 1890

(Cat 215). Ex-hydropathe lui aussi, Galipaux **(Cat 119)**, émule de Coquelin Cadet dans l'interprétation des monologues, coqueluche des scènes parisiennes, participe aux débuts des Arts incohérents, avec une oeuvre ambitieuse et nourrissante : *Original authentique de la cession du droit d'aînesse d'Esaü* (1883 ; autant dire, une assiette de lentilles).

Nombreux sont les auteurs spécialisés dans la comédie et le vaudeville, créateurs de monologues aussi, qui prirent part plus ou moins régulièrement aux Arts incohérents : depuis Paul Bilhaud, inventeur en 1882 du premier monochroïde, *Combat de nègres pendant la nuit* – Alphonse Allais devait exploiter systématiquement ce procédé, d'abord dans le cadre des Arts incohérents en 1883 et 1884, puis sous forme de volume **(Cat 228 à 231)** – jusqu'à Grenet-Dancourt, journaliste et auteur dramatique, vice-président des Hydropathes en leur temps, qui deviendra un actif protecteur de la profession de journaliste en créant divers syndicats de défense de ce corps. On pourrait citer les noms de Charles Clairville (Arts incohérents, 1882-1886-1889), Paul Lheureux (Arts incohérents, 1882-1883-1889), Guillaume Livet (Arts incohérents, 1882-1883-1884-1893) dont on a vu le rôle clef qu'il joua dans la naissance du mouvement, Bertol-Graivil (Arts incohérents, 1882-1883-1884), auteur d'une *Peinture intentionniste* (1884), qui, suivant son titre, en restait au stade des intentions, le fidèle Marc Sonal, alias Georges Lanos, l'un des rares membres à participer à toutes les expositions du groupe, qui se plaisait aux portraits en forme d'énigme (*Cruelle énigme*, 1886 : un visage de femme sans traits ; *Voir son visage et mourir !*, 1889 : une danseuse en tutu de dos)... bien d'autres encore, tous auteurs abondants de pièces de boulevard aux effets faciles, qui n'avaient d'autre prétention que de distraire un public peu exigeant en ce domaine ; tous aussi, peu ou prou, ont tâté du journalisme, alimentant d'échos mondains ou d'histoires drôles les feuilles légères de l'heure qui s'en montraient friandes.

Dans cette galerie de personnalités appartenant au monde des théâtres, se glissent quelques actrices exposant à visage découvert : Eléonore Bonnaire (Arts incohérents, 1886 et 1889), chanteuse à succès au café-concert de l'Eldorado, offre une vue saisissante du *Passage de la Manche* (1886 ; une silhouette s'engouffre dans une manche d'habit véritable) ; Berthe Mariani (Arts incohérents, 1884 et 1889), comédienne, – « la seule chose qu'elle ne sache pas faire, c'est la peinture », avertit-elle dans le catalogue de 1884 –, expose des dessins grivois à double sens, tout comme sa collègue Léontine Godin (Arts incohérents, 1883 et 1884) avec sa *Paire de fez* (1884).

Pour la plupart, ces gens de lettres et de théâtre répondent à l'objectif que s'étaient assignés au départ les Arts incohérents : ils ne savent pas dessiner. Cette ignorance qui, en bonne logique, devrait constituer un handicap majeur, se révèle, dans le cadre des Arts incohérents, un atout : les littérateurs en effet pallient à leur incompétence en misant sur les ressources de la langue, leur outil de travail quotidien : calembours, homonymies, homophonies, monochroïdes aux titres évocateurs, objets quotidiens accédant à la dignité de l'oeuvre d'art par le biais d'une équivalence graphique – *la Terre cuite (pomme de)* d'Alphonse Allais (1883) **(Cat 224)** reste, dans son dépouillement, le chef-d'oeuvre du genre-, tels sont quelques-uns des procédés qu'ils expérimentent dans la création de leurs œuvres...

Un groupe de dessinateurs, spécialisés dans la caricature de presse et l'affiche, participe aux Arts incohérents dès l'origine. Par leurs contributions régulières, ils assureront la cohésion du mouvement.

Appartenant à la même génération -ils sont nés entre 1855 et 1860 –, ils travaillent dans les mêmes journaux illustrés – *La Chronique parisienne, La Vie parisienne, Le Chat noir, Le Courrier français*, etc. – qu'ils fournissent en satires de mœurs, chacun se cherchant un style et un répertoire qui lui soient propres[37] : Henry Gray, émule d'Alfred Grévin, croque la Parisienne et ses grâces mutines ; il dessine aussi des costumes pour les revues montées aux Folies-Bergère **(Cat 77)**, tout comme Alfred Choubrac qui se spécialise dans l'affiche de spectacle, créneau porteur. Caran d'Ache, d'un trait sec, campe les militaires dont il détaille les mœurs dans ses histoires en images, précurseurs de la bande dessinée. Georges Lorin évoque la figure candide et sans âge d'un éternel Pierrot lunaire dont Willette montre les vices. Henri Pille, qui expose avec succès au Salon annuel des scènes de genre du temps passé, opte dans ses dessins pour des décors d'une époque révolue : le Moyen Age a ses faveurs...

Les œuvres exposées par ces dessinateurs aux Arts incohérents se situent généralement dans le droit fil de leur production habituelle : il en va ainsi des envois d'Henry Gray, Henri Pille ou Georges Lorin. Le chroniqueur du *Figaro* note ainsi

37. Sur la caricature de presse sous la III⁰ République, *cf* Jacques Léthève, 1961 et surtout Philippe Roberts-Jones, 1956 (fondamental), 1960 et 1963.

Cat 77 Henry Gray, *Chat noir*, 1896

en 1884 que « malheureusement Cabriol (alias Georges Lorin) n'a pu se résoudre à mal dessiner » et son *Effet de lune* lui paraît « d'une incohérence molle » ; il estime de même que « Pille (Henry) a trop bien dessiné – il ne peut faire autrement – *Le Roi Dagobert* » ; enfin « Gray (Henry) expose plusieurs jolies choses, trop jolies, surtout une *Marchande de pommes* » (*Le Figaro*, 18 octobre 1884).

L'année précédente, Henry Gray avait tenté de donner à l'un de ses dessins, *Parisiana* (1883), un tour inattendu en l'encadrant dans des objets de toilette féminine ; il préfèrera par la suite s'en tenir à son répertoire familier – la femme et ses charmes vénéneux.

Il est significatif de relever que les oeuvres de ces artistes sont reproduites dans *Le Courrier français* et s'intègrent par-

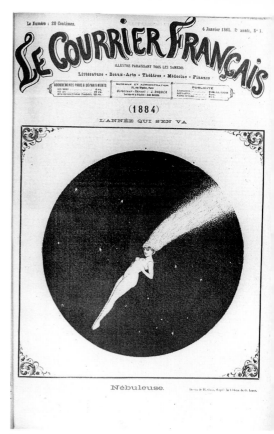

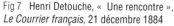

Fig 7   Henri Detouche, « Une rencontre »,
Le Courrier français, 21 décembre 1884

Fig 8   Georges Lorin, « Nébuleuse »,
Le Courrier français, 4 janvier 1885

faitement à la production habituelle de ce journal : tel est le
cas pour le tétraptyque de G. Lorin, *Un effet de lune* (*Courrier
français*, 31 mai 1885), pour *La Marchande de pommes*
d'Henry Gray (*ibidem*, 30 novembre 1884) ou encore pour *Une
rencontre* d'Henri Detouche (*ibidem*, 21 décembre 1884) (Fig 7).
La Comète de Georges Lorin (Arts incohérents, 1884) sera utilisée, sous le titre de *Nébuleuse*, comme allégorie de « (1884)
L'année qui s'en va » dans le premier numéro du *Courrier
français* pour l'année 1885 (Fig 8). De son côté, *Le Chat noir*
reproduit un dessin d'Henri Pille présenté aux Arts incohérents en 1882, *La Mort de César*, et annonce « un tirage de
luxe à 50 exemplaires » (17 et 24 février 1883).

Des dessinateurs spécialisés dans la gravure tirée à petit
nombre et réservée à un public restreint d'amateurs -Henri
Boutet, Henri-Patrice Dillon et Henri Detouche notamment-
ont également pris part aux débuts des Arts incohérents.

Henri Boutet, maître de la pointe sèche et peintre attentif de
la Parisienne, collaborateur à des revues d'art – *L'Art moderne*,

La Revue artistique, La Plume... – réalise les premiers cartons d'invitation aux expositions (1882, 1883, 1884) **(Cat 7, 18, 22)** : leur élégance recherchée tranche sur la verve gauloise déployée par ses confrères (Ferdinandus, Langlois, Cohl ou Gray) **(Cat 13, 23, 24)**. Ses envois aux Arts incohérents témoignent de la même retenue : son *Polichinelle* goguenard, dans la lignée de Manet[38], sera ainsi repris dans l'album *L'Estampe originale* publié par Lepère en 1889 **(Cat 208)**.

Quant à H-P. Dillon, lithographe fécond et délicat, sa *Fantaisie incohérente* (1884) tout comme sa gravure *A Bougival-La*

38. *Polichinelle*, lithographie en couleurs par Edouard Manet, 1874

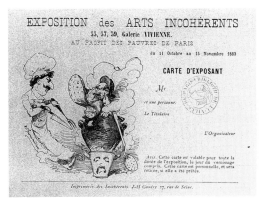

Cat 13 Ferdinandus, *Carte d'exposant à l'exposition des Arts incohérents*, 1883

Cat 18 Henri Boutet, *Invitation au Punch de dignation offert par les Incohérents*, 1883

Cat 23 Henri et Edme Langlois, *Invitation au vernissage de l'exposition des Arts incohérents*, 1886

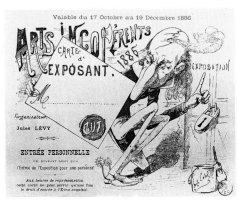

Cat 24 Emile Cohl, *Carte d'exposant à l'exposition des Arts incohérents*, 1886

Grenouillère (Arts Incohérents, 1893, publiée dès 1889 dans la revue dirigée par Henri Boutet, *Paris-Croquis*) sont des œuvres parfaitement représentatives d'un style qui mêle avec bonheur humour et préciosité.

Quelques dessinateurs relèveront leur veine habituelle d'un piment d'incohérence : ainsi Henri de Sta, spécialiste des scènes de la vie militaire, exploite ce thème dans ses envois aux Arts incohérents, mais en y introduisant des éléments incongrus : son *Clairon sonnant la charge* (1883) montre un hussard chargeant, mais « ledit hussard est pourvu d'un plumet gigantesque accroché dans la toile » (*Le Voltaire*, 15 octobre 1883). Caran d'Ache poussera fort loin cette veine naturaliste : dans son panneau de cinq mètres de long, *1814* (1886), qui représente un épisode de la retraite de Russie, la grande armée se silhouette, noire sur la neige blanche « figurée par les pois d'une voilette en tulle blanc suspendue devant la toile » **(Cat 181)**. En 1884, le même artiste avait peint *L'Empereur Napoléon Ier haranguant le 47e de ligne* sur des rallonges de table, et sa *Porte-panorama à l'usage des généraux* (1883) consistait en une véritable porte.

D'autres artistes n'hésiteront pas à réaliser des œuvres qui relèvent d'une logique proprement incohérente : il en va ainsi d'Emile Cohl **(Cat 111 à 113)**, actif membre des Hydropathes, un moment photographe, qui poursuit l'oeuvre de son maître André Gill en se consacrant à la caricature politique et au portrait-charge dans les journaux que Gill a contribué à créer, *La Nouvelle Lune* et *Les Hommes d'aujourd'hui* notamment[39]. Incohérent assidu autant qu'abondant – il envoie entre cinq et dix œuvres à chaque Salon incohérent –, Cohl exploite la veine du portrait-charge traditionnel en caricaturant des personnages en vue – *cf* notamment ses envois de 1889 et 1893 –, mais n'hésite pas par ailleurs à créer des œuvres plus audacieuses, tel ce poétique *Abus des métaphores* (1886), animal fantastique construit à partir d'expressions courantes prises au pied de la lettre : « un front d'albâtre », « des sourcils d'ébène », « un cou de cygne », « des bras en aile de moulin », etc. Sa parodie du tableau de Puvis de Chavannes, *Le pauvre pêcheur* (1884) met aussi en œuvre des matériaux variés : un tambour de basque en guise de toile, d'où sort un fil à pêche, au bout duquel pend un hareng saur **(Cat 196 et 197)**. Quant à son *Tableau démontable pour petits appartements ou déplacements et villégiatures* (1893), par un ingénieux système de panneaux mobiles, il résout le délicat problème du format des

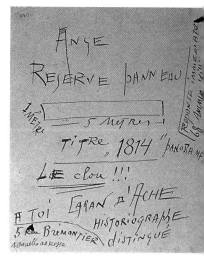

Cat 181 Caran d'Ache, *Lettre à Jules Lévy*, 18[

39. Sur Emile Cohl, voir l'excellente monographie de Donald Crafton, 1990, notamment les chapitres I et II consacrés aux débuts d'Emile Cohl dans la caricature et à ses liens avec les Arts incohérents. On espère qu'un éditeur publiera en français cet ouvrage, l'une des très rares études récentes consacrées à un dessinateur de presse.

40. Sur Alfred Le Petit, cf Georges Potvin, 1987.

Cat 196 Pierre Puvis de Chavannes, *Le Pauvre Pêcheur*, 1891

Cat 197 Emile Cohl, *Le Pauvre Pêcheur dans l'embarras*, 1884

oeuvres en permettant à son propriétaire de l'adapter à ses besoins.

Le caricaturiste politique Alfred Le Petit[40], l'un des plus féconds dessinateurs de son temps et l'un des doyens des Incohérents par l'âge (il est né en 1841), fait aussi preuve d'une grande capacité d'invention : si son autoportrait de 1889, *Alfred Le Petit à Sainte-Pélagie* (par lui-même), en dépit des matériaux utilisés – « peinture au chocolat et au jus de réglisse » –, reste assez conventionnel dans son style **(Cat 209)**, le *Parapluie pour spectacle* (1884), « une admirable Sarah Bernhardt, coiffée d'un balai triomphal et dont le corps est figuré par un parapluie » (*L'Evènement*, 20 octobre 1884), exploite avec bonheur les ressources de l'objet quotidien. **(Cat 216)**

Des artistes établis, exposants réguliers au Salon annuel, semblent utiliser les Arts incohérents comme un exutoire à leur production légitime : tels Eugène Mesplès, Luigi Loir ou les frères Cain – (le peintre Georges Cain sera le premier conservateur du musée Carnavalet).

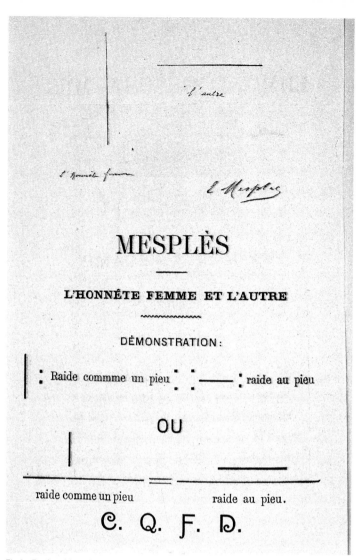

Fig 9   Eugène Mesplès, *L'Honnête Femme et l'autre*, catalogue de 1884, p. 154

Elève du peintre orientaliste Léon Gérôme qui jeta l'ana-
thème sur les Incohérents dès leur naissance, Eugène Mesplès
suit une double carrière d'illustrateur et de peintre de scènes
de genre -il excelle dans la représentation de danseuses en
action. Participant assidu aux Arts incohérents, il exploite avec
bonheur les ressources de la géométrie (*L'honnête femme et
l'Autre*, 1884 : une ligne verticale et une ligne horizontale
(Fig 9)), du monochrome (*Hyacinthe à Londres*, 1883 : un nez se
détachant sur un fond gris uniforme, allusion à l'appendice
démesuré qui fit la fortune du comédien Hyacinthe, le gris
symbolisant les brumes londoniennes) ou de l'objet constitué
en paysage (*La Vallée des lettres*, 1883 : « une rivière d'encre
bardée de plumes d'oies en guise de peupliers, le tout éclairé

par un soleil couchant qui n'est autre chose qu'un pain à cacheter rouge »[41]). Quant à l'ancien Hydropathe Luigi Loir dont les délicats paysages parisiens sont fort prisés des collectionneurs, il exécute en 1882 son autoportrait en assemblant des matériaux hétéroclites : cire molle, drap, poil, bouton, émail, cuir, bois, carton. Les frères Cain, pour leur part, réduisent *M. le Vicomte X de Z* à l'état de fœtus soigneusement conservé dans un bocal (1883)...

On le voit : au carrefour de deux mondes -art et spectacles-, les Arts Incohérents permirent aux gens d'esprit de donner libre cours à leur fantaisie, de faire assaut d'ingéniosité dans les trouvailles incongrues. La formule plut, comme en témoigne le nombre élevé de ceux qui, au moins une fois, tentèrent l'expérience. Mais les procédés mis en oeuvre, du calembour à l'objet détourné de sa fonction première, étaient nécessairement limités : d'où une tendance à la redondance que peu d'exposants évitèrent. Ceci explique sans doute que, mis à part les caricaturistes de profession qui voyaient dans les Arts incohérents un prolongement somme toute logique à leur activité habituelle, la majeure partie des participants n'ait pas prolongé l'expérience, s'en tenant à un ou deux envois ; les troupes se renouvelaient par l'apport de nouveaux aspirants. D'autant que le bénéfice de l'opération était rien moins qu'aléatoire, pour ceux surtout qui endossaient d'énigmatiques pseudonymes.

L'instabilité inhérente au mouvement, son manque de cohésion eussent sans doute provoqué sa chute rapide, sans l'obstination du promoteur de l'entreprise, Jules Lévy.

Jules Lévy, directeur et éditeur des Incohérents

Comme ses commensaux les premiers Incohérents, Jules Lévy (1857-1935) **(Cat 138 à 141)** a appartenu au club des Hydropathes, mais son rôle effacé ne lui donne pas droit aux honneurs d'un portrait-charge en couverture du journal. C'est cependant au sein de ce cercle qu'il recrutera les premiers adhérents aux Arts incohérents.

A cette époque, il est attaché à la maison Hachette comme son père, mais on ignore quelle est sa fonction exacte au sein de cette entreprise. Après le sabordage des Hydropathes, il est de ceux qui se tranportent sur la rive droite pour grossir les rangs du cabaret Le Chat noir qui vient de se fonder ; il colla-

41. *L'Evènement*, 16 octobre 1883.

Cat 138 Emile Cohl, *Jules Lévy*, 1893

Cat 143 Jules Lévy, *Sonnet incohérent*, 1883

bore aussi aux premiers numéros du journal homonyme
(**Cat 143**).

Mais c'est au sein des Arts incohérents, dont il est tout
ensemble le fondateur, l'animateur et le directeur, que sa per-
sonnalité s'affirme et que son nom commence à se répandre.
Il s'investit tout entier dans cette entreprise dont il apparaît
comme l'incontournable maître d'œuvre : son domicile, sis
4 rue Antoine-Dubois, près de la faculté de Médecine, sert de
point de ralliement aux manifestations incohérentes ; toutes
les demandes d'invitation, les propositions de participation,
etc. passent entre ses mains.

Une partie de la correspondance reçue par Jules Lévy,
aujourd'hui conservée au musée de Montmartre, atteste du
rôle central qu'il a joué au sein du mouvement (**Cat 163 à 192**).
Les lettres – essentiellement des demandes d'invitation aux
bals des Incohérents – sont rehaussées de savoureux dessins
et leurs auteurs font assaut d'esprit dans la présentation de
leur requête ; il s'agit de s'assurer la faveur du grand Maître ès
Incohérence, lequel a rendu, en marge des missives, un ver-
dict fort laconique : « oui », « non », « 1 carte », « 2 cartes »,
etc. La diversité d'origine des quelques correspondants repé-

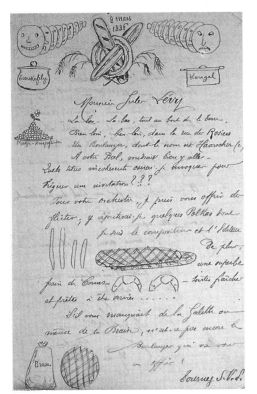

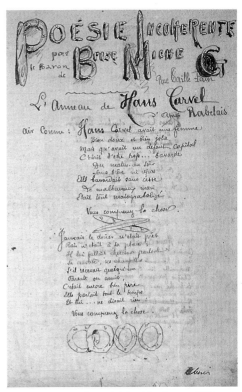

Cat 170 Haarscher, *Poésie incohérente par le Baron Brise-Miche*, 1886

Cat 171 Haarsher, *Lettre à Jules Lévy,* 8 mars 1886

rables - un boulanger de la rue des Rosiers **(Cat 170 et 171)**, un étudiant en droit, un ingénieur, des artistes, des collectionneurs, un rédacteur au *Courrier agricole*, un avocat à la Cour d'appel, un comte, un prince russe, un député – révèle que les manifestations incohérentes touchent un large public, réuni par un commun désir de s'amuser. Il convient de préciser que seuls les correspondants inconnus de Jules Lévy ont jugé bon d'indiquer leur profession, ce qui restreint singulièrement le champ d'observation. Plusieurs billets émanent d'artistes membres réguliers des Arts incohérents – Henry Gray, Caran d'Ache, Alfred Jullien, Ponvoisin, etc – qui s'adressent au maître pour obtenir des invitations destinées à leurs amis, preuve que le directeur des Incohérents a la haute main sur l'entreprise.

Les Arts incohérents ne constituent cependant qu'un aspect de l'activité déployée par Jules Lévy : en 1885, celui-ci fonde, seul, sa propre maison d'édition au 2 rue Antoine-Dubois, dans un local qui jouxte son domicile.

L'annuaire du commerce Didot-Bottin permet de suivre l'évolution de son entreprise : à la rubrique « libraires-éditeurs », le nom de « Lévy Jules, 2 rue Antoine-Dubois » est mentionné entre 1886 et 1893. A partir de 1895, il cède la place à celui de « Peelmann, libraire non éditeur » qui a sans doute racheté le fonds de commerce. Entretemps, Jules Lévy s'est installé à Antony, 8, route d'Orléans, comme l'attestent les adresses qui figurent, à partir de fin 1893, sur les cartons d'invitation aux bals des Incohérents.

C'est entre 1886 et 1889 que l'activité éditoriale de Jules Lévy se révèle la plus féconde : son nom figure alors en caractères gras dans l'annuaire du commerce au chapitre des professions, suivi de la liste conséquente de ses diverses publications[42]. Entre 1890 et 1893, seule la mention en petits caractères « Lévy Jules, 2 rue Antoine-Dubois » signale l'existence de sa maison d'édition. De fait, l'activité éditoriale de Jules Lévy semble limitée aux années 1885 à 1889 ; après cette date, sa production cesse.

On notera que c'est au plus fort de son activité d'éditeur que Jules Lévy prend la décision de mettre fin aux manifestations incohérentes, pour s'y consacrer à nouveau lorsque celle-ci commence à marquer le pas.

Les éditions Jules Lévy concernent les Arts incohérents à un double titre :
– Dans la majorité des cas, les auteurs publiés par Jules Lévy appartiennent au même milieu – hommes de théâtre, revuistes, humoristes – et pratiquent le même genre de littérature que les Incohérents : d'aucuns, comme Georges Moynet, Paul Bonhomme ou Marc Sonal, ont d'ailleurs participé nommément au mouvement. Quant aux autres, il est probable que certains d'entre eux ont pris part aux expositions des Arts incohérents sous le masque du pseudonyme : on nommera Jules de Marthold **(Cat 156)**, Harry Alis, voisin de Jules Lévy et auteur d'un roman à clefs, *Hara Kiri* (1882) qui met en scène ses anciens compagnons du club des Hydropathes, ou encore Jules Moineaux **(Cat 153)**, sténographe au Palais de justice, connu pour ses comptes rendus bouffons d'audiences judiciaires - il est aussi le père de Georges Courteline.

Les ouvrages publiés par Jules Lévy relèvent d'une veine humoristique : il s'agit le plus souvent de contes ou de courtes saynètes dialoguées au comique assez épais, parfaitement représentatifs de tout un pan de la production de la fin du XIXe siècle où excellèrent les Incohérents. Tout ceci est bien oublié aujourd'hui.

42. « LEVY, Jules, éditeur, romans et livres d'étrennes, bibliothèque moderne, bibliothèque des bons enfants, livres illustrés, livres politiques, rue Antoine-Dubois, 2 ». (*Annuaire du commerce*, 1886, p. 1565).« LEVY, Jules, éditeur, romans et livres d'étrennes, bibliothèque moderne, bibliothèque des bons enfants, livres illustrés, livres politiques, éditeur des Revues, Le Mois Théâtral, Les Chambres comiques, L'Année militaire, la Lecture et la récitation. Envois franco contre mandats et timbres-poste à toutes les commandes de librairie, rue Antoine-Dubois, 2 » (*Annuaire du commerce*, 1889, p. 1476).

43. Né en 1858 en Provence où il grandit, Félicien Champsaur monte à Paris à dix-sept ans et ne tarde pas à se faire connaître au Quartier latin en fondant une feuille éphémère de défense des étudiants, *Les Ecoles* (1876). Il collabore à *La Lune rousse*, au *Réveil*, à *La Marseillaise* et crée, en 1878, avec André Gill, *les Hommes d'aujourd'hui* qu'il abandonnera l'année suivante, mais qui connaîtra une longue carrière (1879-1899, 469 numéros). Parmi ses nombreux romans de mœurs « modernistes », on retiendra un roman à clefs, agaçant, mais plein d'enseignements, *Dinah Samuel* (1882) : l'écrivain y raconte ses débuts à Paris et met en scène ses anciens compagnons du club des Hydropathes qui évoluent autour de la tragédienne Dinah Samuel, *ie* Sarah Bernhardt. Jules Chéret a réalisé des affiches pour deux de ses romans, *L'Amant des danseuses* (1888) et *La Gomme* (1889).

at 147 Jules Chéret,
aris qui rit par Georges Duval, 1886

at 148 Emile Goudeaux,
oyage de découvertes d'A. Kempis, 1886

at 149 Jules Chéret,
oman incohérent par Charles Joliet, 1886

at 150 Jules Chéret,
1 mer par Paul Bonnetain, 1886

– A partir de 1886, Jules Lévy s'oriente vers l'édition de livres illustrés ; pour la réalisation de ces volumes, il fait appel à des dessinateurs du groupe incohérent. H. Pille, H-P. Dillon, G. Lorin, E. Mesplès, etc. émaillent de rapides croquis des textes au ton badin : ils sont dûs à des Incohérents notoires, Galipaux **(Cat 158)** ou Coquelin Cadet par exemple **(Cat 160)** et à des revuïstes : ainsi Henri Buguet, le maître en ce domaine, consacre un volume, *Revues et revuistes* (1887) illustré par Choubrac, à l'art et la manière de faire une revue à succès. Des romanciers d'un registre plus sérieux – Paul Bonnetain, auteur d'un roman à scandale sur l'onanisme, *Charlot s'amuse* (1883) ou Frantz Jourdain, plus connu comme architecte - publient aussi chez Jules Lévy.

L'un de ces volumes est marqué au sceau de l'incohérence : il s'agit du *Roman incohérent* **(Cat 149 et 157)**, dû à l'abondant littérateur Charles Joliet, qui tâta de tous les genres (on lui doit, par exemple, un précieux dictionnaire, *Les Pseudonymes du jour* (1867) régulièrement enrichi). L'illustration de cet ouvrage est entièrement confiée au dessinateur Steinlen, qui ne semble pas avoir exposé aux Arts incohérents.

Pour les couvertures de ses livres illustrés, Jules Lévy s'est assuré le concours de l'affichiste Jules Chéret : celui-ci réalise ainsi une dizaine de couvertures d'une facture très variée, allant d'une aimable fantaisie – *Paris qui rit* **(Cat 147)**, *Roman incohérent* **(Cat 149)**, *Le Bureau du commissaire* **(Cat 153)**, *Graîne d'horizontale* **(Cat 146)** –, à un réalisme presque brutal – *Pile de pont* **(Cat 145)**, *En mer* **(Cat 150)** : c'est là un des rares exemples de la production de Jules Chéret en ce domaine.

La création d'une revue mensuelle de petit format, *Le Mois théâtral* **(Cat 161)**, est envisagée un moment ; Jules Chéret devait en assurer la direction artistique, Félicien Champsaur se réservant la partie littéraire. Un numéro spécimen est paru, daté du 5 octobre 1886, avec une couverture due à Chéret – une de ces danseuses aériennes qu'il excellait à rendre ; Félicien Champsaur y esquissait les grandes lignes du journal. Mais le projet tourna court. On sait que les deux hommes étaient liés : Jules Chéret composera plusieurs affiches pour des oeuvres de Félicien Champsaur, écrivain au talent précoce qui se voulait un observateur de la vie contemporaine dont il peignit les moeurs de manière souvent complaisante [43].

En dépit de l'échec du *Mois théâtral*, la collaboration entre J. Lévy et J. Chéret se poursuivra, l'artiste réalisant les affiches pour les expositions des Arts incohérents de 1886 et

1889, - à cette dernière, il exposa la maquette **(Cat 33)**. On lui doit aussi une affichette pour les livres d'étrennes publiés par la librairie Jules Lévy en 1888 **(Cat 154)** ; l'éditeur en effet ne négligea pas le domaine du livre illustré pour enfants, en plein essor à cette époque, et produisit quelques volumes pleins d'esprit : une *Histoire de Marlborough* (1887) racontée par Jules de Marthold et mise en images par Caran d'Ache **(Cat 156)**, et les mésaventures d'un mandarin chinois et de son fidèle serviteur venus observer les moeurs parisiennes pour le plus grand dam dudit mandarin : *Ka-li-Ko et Pa-tchou-li*, par Eugène Le Mouël qui en est à la fois l'auteur et l'illustrateur **(Cat 155)**.

On mentionnera enfin, parmi les publications de la librairie Jules Lévy, l'édition d'une revue, *Les Chambres comiques* (17 numéros : octobre 1886 – janvier 1887), dûe à la collaboration du chroniqueur Georges Duval pour les textes et d'Emile Cohl pour les dessins **(Cat 162)** ; les deux auteurs passent au crible les faits et gestes des députés pour en montrer l'inanité ; on ne s'étonnera pas que les illustrations d'Emile Cohl se situent dans une veine incohérente, le sujet traité – le comportement des députés –, tel qu'il ressort de cette revue, s'avérant lui-même incohérent.

Ainsi Jules Lévy a puisé abondamment dans le vivier incohérent pour la réalisation de ses volumes, de fort bonne qualité quant à l'exécution. Cet écrivain de second ordre – il écrivit quelques monologues et des saynètes sans conséquence – se révéla un animateur émérite et un éditeur de talent. Grâce à lui, allaient naître des oeuvres dont certaines nous étonnent aujourd'hui encore par leur audace et leur invention.

Il est temps de les envisager maintenant puisque, tout compte fait, elles restent le seul aspect encore vivant des Arts incohérents. Tout le reste est de la (petite) histoire.

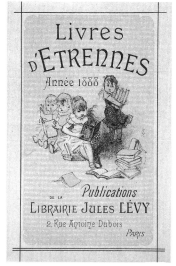

Cat 154 Jules Chéret, *Livres d'étrennes... Publications de la librairie Jules Lévy*, 1888

Le magasin incohérent

Sculptures, dessins, peintures, assemblages hétéroclites, hauts et bas-reliefs... Les œuvres se bousculent aux Arts incohérents : de 159 numéros en 1882 jusqu'à 437 en 1889, avec un assagissement à 314 en 1893. A ces chiffres s'ajoutent les envois de dernière heure auxquels on trouvait toujours une petite place au cœur d'expositions surchargées. Impossible de savoir comment tout cela fut exposé, aucune photographie n'ayant à notre connaissance franchi les années. Peut-être pas aussi anarchiquement que l'on pourrait le penser – les Incohérents connaissent le monde de l'art – plutôt avec un savant négligé, au gré des humeurs anticonformistes.

De ce bon millier d'œuvres, seule une dizaine nous est parvenue, conservée au hasard de noms plus connus que d'autres, de factures moins périssables ou de patrimoine familial miraculeusement préservé. Où donc sont passées les autres, dans quels greniers oubliés sommeillent-elles encore ?

On connaît ces absentes par les catalogues, par les comptes rendus de la presse, par quelques pages dans les mémoires de témoins tels que Félix Galipaux, par les croquis d'ensemble que des illustrateurs, parfois incohérents eux-mêmes donnaient à leurs journaux pour l'occasion **(Cat 37 à 42)**. Impression dominante à la lecture de ces documents : la confusion, le désordre. En un mot comme en cent : l'incohérence. On distingue malgré tout, dans ce chaos, des familles de pensée, des inspirations communes, voire des trucs de fabrication ou des « clichés » comme Fénéon n'hésitera pas à l'écrire en 1883[44]. Les Incohérents se rallient quoi qu'il en soit à la grande famille des caricaturistes. Leur public est le même que celui de la presse illustrée. Tout est bon pour le faire rire, y compris et en premier lieu la caricature à laquelle il est accoutumé. Celle-ci, en tant que référence à des personnalités connues, des événements d'actualité politique, sociale ou artistique, dans le but de les tourner en dérision, constitue de ce fait une ressource fondamentale de l'incohérence

Le portrait-charge

A la fin du XIXe siècle, les Parisiens sont plus que jamais friands des potins concernant les « hommes du jour ». Acteurs, écrivains, personnalités politiques, quiconque fait parler de soi s'expose aussitôt aux lazzis de la caricature. Les Incohérents ne seront pas les derniers à pratiquer l'art du portrait-charge. Ils bénéficient, comme tous les caricaturistes, de l'assouplissement de la législation en la matière : en juillet 1881 est en effet abrogée la loi de 1851 qui rendait obligatoire la mention de l'accord du caricaturé aux côtés de la charge le prenant à partie. Un double portrait incohérent en une seule tête par Marc Sonal, en octobre 1882, fait allusion à cette toute nouvelle liberté, *Daubray-Théo en femme, Théo-Daubray en homme*, avec deux autographes : « Je refuse mon autorisation, signé Daubray » et « Je ne permets rien du tout, signé Théo »[45].

Jules Lévy lui-même verra par la suite sa généreuse denture soulignée par Emile Cohl dans le peu anonyme *Portrait de M.X*** (piano de la maison Pleyel)* en 1886 (Fig 10).

Les acteurs de théâtre, dont plusieurs «grands» collaborent aux Arts incohérents, n'échappent pas à l'ironie mordante de leurs confrères. Paul Bourbier, un des rares exposants dont les œuvres aient été conservées, révèle la mine rubiconde de Daubray dans une statuette polychrome en 1882 : *Un homme très fin et très gros* (Cat 211a). Spectateur assidu des plaisirs théâtraux, il sculptera successivement les statues pittoresques d'autres acteurs célèbres : Coquelin Cadet, Dailly, Hyacinthe, Lassouche (Cat 211, 212).

Parmi les boucs émissaires favoris des Incohérents, Sarah Bernhardt et sa légendaire maigreur figurent en bonne place. Elle apparaîtra comme *Vénus des mille os* en 1883, puis fil à pêche tendu sur une planche : *Sarah Bernhardt en robe blanche (peinture sèche)* par Coquelin Cadet en 1884 (Cat. 215). Un Incohérent expose encore en 1886 *Un dessin de Sarah Bernhardt* qui n'est rien de plus qu'un œuf sur le plat... Marandet, tout aussi sarcastique, propose un *Portrait de Melle Samary dans les Précieuses ridicules* (« fragment nocturne ») sous forme de ratelier aux dents écartées (1883). En 1886, il récidive avec *Un litre d'esprit de la Comédie Française. Est-il rond ?* nous laissant supposer que la principale vertu de l'acteur Thiron, dont le portrait figure en bouchon de bouteille d'esprit à 90°, n'était pas a priori la sobriété.

Le portrait-charge est surtout savoureux à ceux qui connais-

Le Portrait de M. X... (piano de la Maison Pleyel).

Fig 10   Emile Cohl, *Portrait de M. X*** (piano de la maison Pleyel)*, catalogue de 1886, p. 51

44. Dans *La Libre Revue*, art. cit.

45. Mme Théo et Daubray, acteurs, avaient rendue célèbre une pièce de théâtre *Pomme d'Api*. Celle-ci fut jouée en Amérique en 1882.

46. Portrait d'autant plus insolent que Louis Veuillot meurt l'année de l'exposition.

47. M. de La Pommeraye (1839-1891) acquit une notoriété en faisant des conférences et en inventant le « feuilleton parlé » qui rendait compte des nouveautés théâtrales de la semaine par oral, face à un public.

48. En 1883, Alexandre Dumas prend parti, aux côtés du député Gustave Rivet, pour la codification de l'action en justice ayant pour but de constater qu'un individu était le père d'un enfant.

49. En pleine déroute financière, la Compagnie voulut lancer sur le marché des obligations remboursables par tirage au sort. Elle « acheta » certains parlementaires pour obtenir un vote favorable à la loi l'y autorisant. L'affaire fut révélée, le public s'indigna, des petits épargnants furent lésés.

at 211a Paul Bourbier, *Daubray*, 1884

sent le modèle. Savoir que le visage de l'écrivain Louis Veuillot était grêlé permet d'apprécier tout le burlesque de son portrait réalisé sur écumoire par Langlois en 1883[46] ; lequel portraiturera la même année le conférencier M. de La Pommeraye en relief : seul le visage était peint, agrémenté de véritables lorgnons et de vraies moustaches ; une table, sur laquelle trônait un verre d'eau sucrée, complétait le tableau plus vrai que nature[47].

L'utilisation de divers objets pour rendre le portrait plus piquant sera monnaie courante aux Arts incohérents. Ainsi, du milieu d'un vrai chou, Alexandre Dumas déguisé en sage-femme extrait en 1883 un bébé en carton et proclame « Je recherche la paternité » (*Enseigne pour sage-femme de première classe*, Paul Lheureux)[48]. Le recours aux trois dimensions dépassera bientôt par son propre pittoresque le sujet lui-même, comme ce fut le cas pour la *Vue extérieure de M. Bertol-Graivil* de Lanos (1882) qui représente l'écrivain en deux morceaux : le buste à un bout de la salle d'exposition, les jambes et les pieds à l'autre bout avec mention de renvoi.

Satire des événements politiques et sociaux

La caricature des personnalités, lorsque celles-ci appartiennent au monde de la politique, se confond vite avec celle des événements. Ce sont alors de vastes campagnes caricaturales que mènent les Incohérents.

La plus riche prendra pour sujet la faillite de la Compagnie du canal de Panama et le scandale financier qui l'accompagna[49]. A l'exposition de 1893, plusieurs dizaines d'œuvres font référence à l'événement. Ko-shinnus met en scène une blanchisserie baptisée *Au Panama* pratiquant le nettoyage à sec. Frim ouvre une bourse d'où roulent des boutons de culotte sous le titre *Vue de panne à moi* **(Cat 222)**, Marandet sacre pur *Produit fin de siècle*, l'encre des chéquards[50], tandis que Neumont intitule *La Dé-Lesseps*, une belle de nuit affirmant sous un réverbère : « Moi aussi je suis corrompue, et pourtant je n'ai pas trempé dans la Panama ». Enfin, Blanchet-Magon cauchemarde un *Songe d'une nuit d'hiver* hanté par les portraits-charges des acteurs du scandale (Fig 11).

Fréquemment présente dans les notices incohérentes, la guerre du Tonkin fit aussi la « une » de l'actualité, en particulier en 1884 et 1886. Un ivrogne dessiné par Hilaire étreint un

Cat 211c Paul Bourbier, *hyacintes*, 1884

Fig 11   Augustin-Sosthène Blanchet-Magon,
Songe d'une nuit d'hiver, catalogue de 1893, p. 41

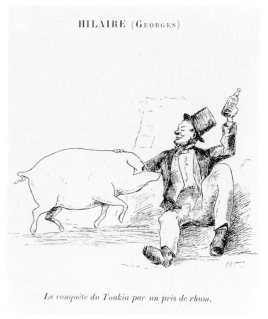

Fig 12   Georges Hilaire, *La Conquête du Tonkin
par un pris de rhum*, catalogue de 1886, p. 92

porc sous le titre *Conquête du Tonkin par un pris de rhum* (Fig 12) et Allard nous apprend *Comment on prend Son Tay à la française* et *Comment on prend son thé à l'anglaise*, double scène de genre où la bataille rangée du Tonkin fait pendant à une paisible scène d'intérieur anglo-saxonne de fin d'après-midi[51].

La vie politique française traverse en outre, dans les années 1880, une série de scandales. L'honnêteté du gouvernement est remise en cause par diverses catastrophes : banqueroute de l'Union générale, trafics de l'Elysée, scandale des décorations, démission forcée de Grévy... Les hommes politiques perdent leur crédit auprès de l'opinion publique. Les Incohérents se font l'écho de ces soupçons. Dans *L'Armée barbue* de Van Drin en 1886, Boulanger passe en revue des soldats de plomb dans un guignol ; la *Conscience d'un homme politique* est figurée sous forme d'élastique par K. Rabin (1889) **(Cat 221)** ; les *Economies budgétaires de 1886* sont posées comme autant de bouts de chandelles par Karlotin **(Cat 220)**, et le *Polichinelle* de Boutet en 1884 est en vérité le « portrait frappant du futur président d'un Conseil de ministres » **(Cat 208)** ; Maurice Neu-

50. Surnom donné aux parlementaires et aux journalistes qui touchèrent des chèques pour favoriser l'entreprise du Panama.

51. La prise de Son Tay (forteresse tonkinoise commandant le cours du fleuve rouge au-delà d'Hanoï) fut un des épisodes de la guerre du Tonkin. Le 12 décembre 1883, Son Tay fut reprise aux Français.

Fig 13   Maurice Neumont,
Le Député honnête, catalogue de 1893, p. 78

mont se fait une non moins piètre opinion du *député honnête* en 1893 (Fig 13). Le gouvernement français n'est pas seul à être éreinté. Les Incohérents se révèlent nationalistes à l'occasion : citons le *Porc militaire* par Raynaud, coiffé d'un casque prussien, une montre au bout de la queue « que les allemands sont priés de ne pas emporter » (1883), et *Go(o)d save the couenne* en 1884, truie en terre cuite habillée en femme par Charles Leroy (Fig 14).

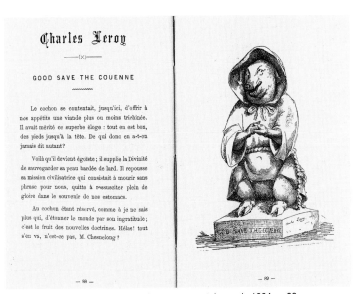

Fig 14   Charles Leroy, *Good save the couenne*, catalogue de 1884, p. 89

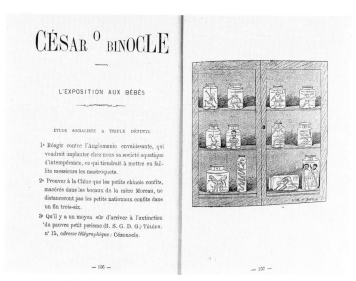

CÉSAR ° BINOCLE

L'EXPOSITION AUX BÉBÉS

ÉTUDE SOCIALISTE A TRIPLE DÉTENTE

1º Réagir contre l'Anglomanie envahissante, qui voudrait implanter chez nous sa société aquatique d'intempérance, ce qui tiendrait à mettre en faillite messieurs les mastroquets.

2º Prouver à la Chine que les petits chinois confits, macérés dans les bocaux de la mère Moreau, ne distanceront pas les petits nationaux confits dans un fin trois-six.

3º Qu'il y a un moyen sûr d'arriver à l'extinction 'du pauvre petit perisme (B. S. G. D. G.) TÉLÉPH. n° 15, *adresse télégraphique* : Cézonocle.

— 156 —

— 157 —

Fig 15   César O'Binocle (Raoul Colonna de Césari),
L'Exposition aux bébés, catalogue de 1884

Mais la caricature, c'est aussi l'attention amusée portée aux faits-divers. Plusieurs d'entre eux, relevés par les Incohérents, donnent lieu à un déploiement d'imagination.

Le projet d'exposition de bébés, en 1884, fit beaucoup parler de lui dans les quotidiens de l'époque. Les observateurs, qui trouvaient mal séant d'exposer des enfants et de leur décerner des médailles comme à des bêtes de foire, n'apprécièrent guère cette exhibition importée d'Amérique. Les œuvres incohérentes sur ce sujet jouent volontiers la carte de l'humour

LANGLOIS

LA FAMILLE DE LESSEPS

L'artiste a fait preuve d'irréflexion en ne ménageant pas un peu d'espace dans sa composition. Les précédents nous autorisent à préjuger qu'il devra mettre à jour sa toile tous les neuf mois. Nous sommes parmi ceux qui applaudissent le Grand Français, s'efforçant dans sa besogne patriotique et patriarcale.

— 152 —

— 153 —

Fig 16   Henri et Edme Langlois, *La Famille de Lesseps*, catalogue de 1884, p. 153

noir, en présentant par exemple autant de foetus difformes dans des bocaux de formol (Colonna de Césari) (Fig 15).

Autre exhibition d'actualité, celle des Cynghalais, accueillis par le jardin d'acclimatation en 1886. Le jardin, qui avait déjà reçu les habitants de l'Ile de Ceylan en 1883, héberge la même année une tribu de peaux-rouges. Là, les Incohérents auront recours au calembour : *Les Cy'ghalais (enfoncé l'acclimatation)* (Keller, 1886), *Arrivée des cinq galets* (Charles Angrand, 1883) **(Cat 219)**. L'exotisme déferle dans les salons mondains. Nul doute que le public des Incohérents s'esclaffa généreusement lorsqu'il découvrit *Mars et Vénus*, le facétieux Kotek ayant doté la Vénus hottentote d'un postérieur en chocolat noir (1886).

La préparation de l'Exposition universelle de 1889 fera couler de même beaucoup d'encre et suscitera les projets incohérents les plus fous tels que ceux d'une Tour tire-bouchon à 10 000 mètres en l'air (« enfoncé la Tour Ficel »), et une exposition de 80 neuf accolés dans un cadre (Barbotin).

En 1884, Ferdinand de Lesseps, héros du Canal de Suez, récemment nommé à l'Académie française et pas encore entâché par l'affaire de Panama, est à l'honneur. Le gigantesque portrait de famille : *Père sera, percera ?* (« a percé en vertu de cet horoscope persan ») par Langlois, où il paraît armé d'un tire-bouchon face à ses neuf enfants, chacun affublé d'une véritable perruque, remportera un vif succès aux Arts incohérents (Fig 16).

Au mois de septembre de la même année, il est par ailleurs beaucoup question de la *Loge de Monsieur Paulus*. Le célèbre chanteur menaçait de cesser de chanter si le café-concert qui l'employait ne lui procurait pas une loge digne de son talent. En bonne Incohérente, Melle Caran d'Ache lui en fournit une... en boîte d'allumettes.

La Loïe Fuller, devenue célèbre en 1892 avec sa danse des voiles aux Folies-Bergère **(Cat 217 et 218)**, donnera lieu quant à elle à des raccourcis saisissants. Les Incohérents la représentent généralement dans une telle envolée de tissus qu'il devient impossible d'y distinguer quelque forme que ce soit. Mais c'est sous l'aspect d'une bille aux couleurs tourbillonnantes que Kotek l'exposera en 1893 (Fig 17).

Toujours prêts à se gausser des interdits, les Incohérents ne seront pas insensibles aux mesures prises par le sénateur Bérenger pour lutter contre la « licence des rues » à la suite du bal des 4'zarts de 1893 : un modèle un peu trop dévêtu y

Fig 17   Kotek, *La Loïe Fuller*, catalogue de 1893, p. 54

A M'SIEU BÉRENGER

On ne badine pas avec l'amour.

Fig 18 Maurice Neumont, *On ne badine pas avec l'amour*,
catalogue de 1893, p. 74

avait été interpellé. Suivi d'une quasi-émeute, cet incident fera
un mort et inaugurera la réputation de Bérenger, surnommé
le « Père la pudeur ». Les Incohérents suggèreront à la suite
des incidents un *Costume simple pour le prochain bal des
4'zarts : la liquette... de Béranger* (peut-être un chiasme sur le
nom du sénateur et celui de Suzanne Béranger, peintre de
fleurs, dite Mme Apoil...). Non loin de là, Neumont dédie au
sénateur pudibond *On ne badine pas avec l'amour*, l'amour
que vend une fille des rues appréhendée avec rudesse par
deux gendarmes (Fig 18).

  La caricature, étroitement liée à la vie quotidienne, présente
un aspect de chronique des modes éphémères à ne pas négli-
ger. Ainsi y fleurissent les allusions anecdotiques et les
expressions au goût du jour issues de rengaines, de locutions
familières telles que les populaires « v'lan », « pschutt » (synonymes de « chic »), « fin de siècle » dans le sens de « dernier
cri » et autre « bout du bi du banc ». Sans compter les références à la vogue pétomaniaque qui sévit aux Arts incohérents
autant que sur la scène parisienne : *La Colonne vent d'homme*
(Bonnez, 1893), *Air varié pour instrument à vent* (quelques
haricots dans une feuille de papier journal, Hurey, 1889), *Dis-
cordes intestines, préliminaires de paix* (Guyon, 1889). Mode
accompagnée du cortège des reflets de lune, effets de lune, et
autres *Rue de la lune* (peinture sur pot de chambre par Rainaud, 1882).

Chevauchée du Balaikirie.

Fig 19 Habert, *La Chevauchée du Balaikirie*, catalogue de 1889, p. 89

Cocottes comme je les ai aimées et cocottes comme je les aime.

Fig 20 Jullien, *Cocottes comme je les ai aimées et cocottes comme je les aime*, catalogue de 1886, p. 55

La satire de mœurs est aussi très présente sur les cimaises incohérentes. On y trouve notamment de nombreuses références aux lapins, dans le sens de monsieur à la sensualité insatiable ou de rendez-vous manqués. Se distingue dans une production assez conventionnelle une remarquable « nature non morte destinée à la casserolle » posée par Colonna de Cesari et Langlois à l'exposition de 1883 : un couple discute à la terrasse d'un café. A la bouche du monsieur est fixée une ficelle reliée au cou d'un lapin vivant grignotant des carottes dans une cage devant le tableau. Allégorie en relief de l'expression « poser un lapin ».

Dans le droit fil des obsessions contemporaines, la femme, incarnation d'une fin de siècle qui s'amuse, figure à plusieurs reprises comme sujet privilégié des compositions incohérentes : sorcières chevauchant un balai (*Chevauchée du Balaikirie*, Habert, 1893) (Fig 19), prostituée de coins de rue, paysanne apprenant trop tard que *Les voyages déforment les jeunesses* (Grivaz, 1886), actrice en costume léger se rendant au bal masqué, jeune femme vêtue d'une unique écharpe de plumes (*Chauffage au boa et au coq*, Périnet, 1893)... La grivoiserie est à la mode, les journaux illustrés y cèdent tous tôt ou tard. La caricature, trop heureuse, s'adapte. Les expositions incohérentes prennent le pas.

On y trouve, à côté de femmes court vêtues, le menu fretin peu recommandable des harengs, maquereaux, et autres « michés ». Sans oublier les incontournables demi-mondaines et cocottes en papier devenues cocottes en chair et en os (*Cocottes comme je les ai aimées et comme je les aime*, Jullien, 1886) (Fig 20). Et tous les seins sacrilèges **(Cat 102 et 103)** : *Niche à saints*, corset exposé par Miss Ella en 1883, *Comme on connaît ses seins on les adore* (Maygrier, 1893), etc.

Malgré ces calembours parfois douteux à connotation anti-religieuse, les atteintes à la religion sont rares ou détournées et n'inspirent guère que quelques plaisantes railleries sur la *Distraction de Saint-Denis* (Kotek, 1889) qui oublie sa tête chez l'épicier et emporte à la place un fromage sous son bras, le cireur demandant à un moine déchaussé *Faut-il cirer le pouce ?* (Mesplès, 1883), ou d'autres moins amènes assurant à propos d'une bigotte à jambe de bois unique que *La Foi en Dieu seule soutient* (Detouche, 1884).

Satire des événements artistiques

Très liés au monde du théâtre, les Incohérents émaillent d'autre part leurs expositions de références à des pièces alors à l'affiche dont ils détournent les titres ou illustrent le propos à leur façon. *Un drame au fond de la mer*, mélodrame de Ferdinand Dugué présenté en 1884 au théâtre de l'Ambigu, deviendra *Un drame au fond de la mère*, respectable mère de famille pincée par un crabe (Fig 21) ; *La Cigale et la fourmi*, opéra-comique de Duru et Chivot monté en 1886, mettra en scène aux Arts incohérents une chanteuse légère trouvant refuge chez une tenancière de maison close, et le *Chapeau de paille d'Italie* de Labiche sera confectionné en pâtes d'Italie par Sargues en 1889.

Des titres ou des passages de livres connus sont également livrés en pâture aux jeux de mots incohérents : *Le Ventre de Paris* est celui que le héros grec devenu obèse traîne dans une brouette, et ne devra rien à Zola (Maygrier, 1893), *Une trompette sous un crabe* (Tonim, 1884) nous rappelle un passage célèbre des *Misérables* de Victor Hugo **(Cat 226)**, et *Cinq semelles en bas longs* (1886) n'ont, on s'en doute, rien à voir avec Jules Verne.

Un Drame au fond de la mère.

Fig 21   E. Gabrielle, *Un drame au fond de la mère*,
catalogue de 1886, p. 115

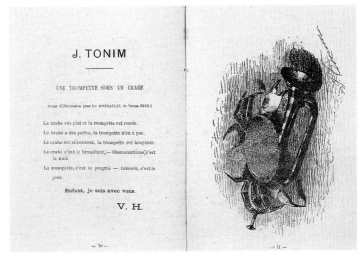

Cat 226   Ano Tonim, *Une trompette sous un crabe*, catalogue de 1884, p. 71

Quelle place les Incohérents réservent-ils maintenant à la parodie des arts plastiques ? L'organisation même de leurs manifestations est, on l'a vu, tout entière un pastiche des organisations officielles. Lévy est-il *L'Archange de l'incohérence terrassant l'hydre de l'art classique* à têtes de Bouguereau et Cabanel, comme le représente Langlois en 1883 ? Ses compagnons en tous cas ne sont pas tendres envers les peintres célèbres du moment. Puvis de Chavannes en particulier, dont le nom est maintes fois déformé pour être adopté par des exposants incohérents irrespectueux : Pubis de cheval, Pue Vice de Chats (Vannes), Pubis de Davannes. Les titres des parodies incohérentes s'en prenant à ses tableaux ajoutent la plupart du temps quelques mots au titre de l'oeuvre originale qui ridiculisent sa gravité, puis ils transcrivent formellement

Cat 203 Jean-Jacques Henner, *Nymphe qui pleure*, 1884

N. Nair

UNE NYMPHE

Ne pas confondre avec un certain Henner qui a la manie d'exposer des pastiches grotesques du *véritable*, du seul, de l'INCOMPARABLE, de l'INCOHÉRENT **N. NAIR**.

Cette œuvre, entièrement peinte à la couleur fine, sur châssis à clé, à double clé, à triple clé, se recommande par des qualités de solidité et de durée à l'usage, qu'on garantirait au besoin sur facture.

On remarquera l'abondance et la finesse de la chevelure, qu'on peut toucher.

Ne craignez rien, ça ne vous restera pas dans la main.

Le public est prié de ne pas y mettre de pommade.

— 114 —

— 115 —

Fig 22   N. Nair, *Nymphe qui pleure parce qu'elle a perdu sa tante*, catalogue de 1884, p. 115

cette déformation : *L'Enfant prodigue retiré dans le désert*, sous le pinceau d'Henri Rivière en 1882, *apprend à ses cochons à déterrer les truffes* (projet de décoration pour l'hôtel de ville de Périgueux) ; *Le Bois sacré cher aux Arts et aux Muses*, reconnu comme manifeste de la génération symboliste, devient surtout *cher aux menuisiers* pour Karlutain (1884) (« tableau acquis par la Maison du Vieux Chêne ») ; *Le Rêve* revu par Bianchini (1883) présente, à la place des visions d'Amour, Gloire et Richesse du tableau d'origine, l'Absinthe, le Vermouth et le Bitter apparaissant à un ivrogne (aqua-pinto-relief) **(Cat 196 à 202)**. Salons caricaturaux en relief, les Arts incohérents parodient d'autres noms en vogue. Henner voit sa *Nymphe qui pleure* gagner des cheveux ou une histoire qu'il ne lui avait pas soupçonnée **(Cat 203)** : *Véritable fausse nymphe de M. Henner* (Traby, 1889), *La Nymphe qui pleure parce qu'elle a perdu sa tante* de N. Nair portant perruque (1884) (Fig 22), *La Nymphe Biblis changée en source* (Xanrof, 1889). *La Salle Graffard* de Béraud, exposée au Salon (officiel) de 1884, témoignant de l'atmosphère enfumée de la salle de réunion des anarchistes, sera aimablement pastichée par Emile Cohl qui colle sur une reproduction à grands traits du tableau des boules de coton pour figurer l'effet de fumée (Fig 23).

L'Incohérent B. Nart peint à sa façon le *Portrait de Mme Jourdain* de Besnard dont la couleur jaune dominante semble

Fig 23 Emile Cohl, *La Salle Graffard*, catalogue de 1884, p. 112

LE ROY SAINT-AUBERT

Un rendez-vous au pont Royal.

Un soir de brouillard sur le boulevard Montmartre.

Fig 24   Sehm (Aphore), *Un soir de brouillard sur le boulevard Montmartre*, catalogue de 1889, p. 88

Fig 25   Le Roy Saint-Aubert, *Un rendez-vous au Pont Royal*, catalogue de 1886, p. 77

nécessiter les services d'un pharmacien (1884). Il n'est pas jusqu'au plafond de Dupain pour la salle astronomique de l'Observatoire de Paris, primé au Salon de 1886 (section arts décoratifs) et intitulé *Passage de Vénus devant le soleil,* qui ne soit raillé. La Vénus des Incohérents est une demi-mondaine éclipsant le soleil d'une pièce d'or (Brany, K. Rabin).

Les nouvelles écoles ne sont pas plus épargnées. Parmi leurs concurrents incohérents : un *Essai de peinture mouvementiste* de Bridet (1884), une école excursionniste (Ernest Depré, 1882), des peintures collectivistes (1883, 1893), une peinture intentionniste (Bertol-Graivil, 1884), – et une *Aquarelle ad libitum* d'Eugène Louvigny pouvant servir indifféremment à la décoration d'un salon ou d'une salle à manger, représentant sous un certain jour une tranche de hure aux pistaches, sous un autre les rochers de Vaux-en-Cernay par un soir d'automne, pastiche manifeste des oeuvres impressionnistes plus allusives que descriptives.

La peinture académique impose à ses suiveurs une bienséance que les Incohérents se font fort d'enfreindre. Les formats et les cadrages de leurs œuvres ne respectent aucune norme classique : Georges Moynet expose en 1884 une toile d'un mètre quatre-vingts de hauteur sur dix centimètres de largeur en bas de laquelle un ver de terre se meurt d'amour pour une étoile située dans la partie supérieure. Pif-Paf (Pan) n'a pas assez de sa toile pour représenter *O nature, on ne peut t'enfermer dans un cadre*, et déborde largement sur le mur en 1886 ; Badufle ose exposer un *Portrait en pieds* dont les pieds en premier et gros plan masquent le reste du tableau (1884) ; Habert en 1886 multiplie les prouesses artistiques et propose *Un cadre contenant 13 dessins plus ou moins*.

Les Incohérents se moquent encore de la solennité du grand art en choisissant des sujets banals : *Bifsteack aux épinards, peinture sur porcelaine* (Tell, 1882), ou simplistes : *Le Poulet amoureux* (dessin fait avec le pied en deux secondes) - qui se gaussent de l'art officiel avec mise en scène, finition et symbolique iconographique complexe. L'art incohérent, ne l'oublions pas, prétendait ne produire que des oeuvres réalisées par des néophytes, des enfantillages en quelque sorte. Dans ce but et pour simplifier au plus leurs compositions, les Incohérents disposent de plusieurs stratagèmes, tels que :

– l'irruption d'un brouillard envahissant dont use Mesplès pour son *Hyacinthe à Londres* (1883), où seul le nez généreux de l'acteur émerge du fog ; et Sehm pour *Le Boulevard Montmartre par un épais brouillard* (1889) (Fig 24) ;

– une atmosphère saturée de fumée, comme celle d'*Austerlitz* de Ray (1886) qui prévient : « ce qu'on ne voit pas est caché par la fumée » ;

– l'obscurité de la *Nocturne à deux voies* (1883) où l'on aperçoit du train qui part deux points rouges et du train qui arrive trois points blancs ; et celle de la *Grande fête de nuit* qui annonce : « bal champêtre, divertissement, jeux forains... (un mauvais plaisant ayant coupé les fils conducteurs de l'électricité, la fête se trouve dans une obscurité complète) » (1884) ;

– un premier plan dissimulant la scène, tel le pli de terrain cachant « la 41ᵉ division du 21ᵉ corps », qui s'apprête derrière lui à donner l'assaut dans les *Grandes manœuvres* de Rainaud (1886), ou encore le *Combat de torpilleurs sous-marins*, dont on ne voit que les flots (1889) ;

– un cadrage particulier, choisi de manière à n'avoir à peindre que la partie négligeable et sans trop de difficultés techniques d'une scène, comme les *Portraits de M. et Mme Souchou* (1882) de Forestier ne montrant que le bout des chapeaux respectifs des époux ; le *Rendez-vous au Pont Royal* (1886) de

Leroy Saint Aubert cadré au moment où les protagonistes apparaissent : on ne voit de la femme que les pieds et de l'homme le chapeau (Fig 25) ; ou encore l'*Ascension de Notre Seigneur* (1882) par Charles Monselet dans la partie supérieure de laquelle ne sont visibles que les pieds du Christ ;

– le détail pour le tout : *Henri IV à la bataille d'Ivry* (1884) de Matra, symbolisé par son seul panache blanc, ou le *Musée sémitique et semi-toc* (1883) de Detouche et Melandri qui exposent un grain de sel de la femme de Loth, une lentille d'Esaü et quelques grains de sable donnant une idée de la postérité d'Abraham. Même idée pour le *Carnaval* de Lévy (1893) qui n'est que confettis **(Cat 207)** ;

– un simple miroir accompagné d'une légende fantaisiste : celui du *Musée sémitique et semi-toc* baptisé : « Quelques specimens des animaux embarqués par Noé dans son arche » ; puis ceux sous-titrés *Une bonne balle* (1889) et *Portrait de tout le monde* (Cent francs de prime à qui ne se trouvera pas ressemblant) (1889) d'Amillet.

Coquelin Cadet emploie pour sa part l'astuce géométrique ; en 1883 il expose un *Souvenir d'Etretat* (« refusé au Salon Triennal »), ligne en zigzag sur une feuille blanche. Puis il expérimente la peinture extrémiste avec ses *Ciel sans nuage* et *Nuages sans ciel* de 1889 dont la tendance hyper-simpliste avait été inaugurée en 1882 avec le *Combat de nègres pendant le nuit*, toile entièrement noire encadrée d'or par Paul Bilhaud, et *Les plus petits des infiniment petits, visibles seulement aux yeux de la science* d'Auguste Erhard (en hommage aux récentes découvertes de Pasteur).

En 1883, Alphonse Allais prend la relève en exposant une *Première communion de jeunes filles chlorotiques par un temps de neige*, sobre feuille de bristol blanc **(Cat 228)**. En 1884, « l'élève des maîtres du XXᵉ siècle » poursuit son œuvre avec une *Marche funèbre incohérente / les grandes douleurs sont muettes* composée pour funérailles d'un grand homme sourd, partition vierge au tempo « molto rigolando » **(Cat 230)**, et une *Récolte de la tomate sur le bord de la Mer rouge par des Cardinaux apoplectiques* constituée d'un morceau d'étoffe rouge **(Cat 229)**. « L'artiste monochroïdal », ainsi qu'il se qualifie lui-même, réunit ses œuvres dans l'*Album primo-avrilesque* de 1897 enrichi de cinq autres monochromes dont un gris, *Ronde de pochards dans le brouillard*, et un bleu, *Stupeur de jeunes recrues devant ton azur, O Méditerranée* **(Cat 231)**. Sa carrière incohérente prit fin en 1886[52].

52. Emile Cohl se souviendra des monochromes allaisiens dans un de ses dessins animés : *Le Peintre néo-impressionniste* (1910) : une scène entièrement rouge y est « une toile qui représente un cardinal mangeant du homard sur le bord de la mer Rouge », une noire « nègres fabricant du cirage sous un tunnel ».

Dans cet art « simpliste » des Incohérents, l'amateurisme, qui semble justifier le résultat rudimentaire, est surtout prétexte à servir la cause caricaturale. Le *Rendez-vous au Pont Royal* parodie Caillebotte, les compositions « effet de... » se moquent des impressionnistes et d'autres raillent l'art classique en général. Il s'agit d'une charge par simplification, d'un excès voulu de schématisation. On cherche à l'origine à faire rire, mais les résultats dépassent les desseins. Ainsi les monochromes allaisiens, certainement issus de réflexions ironiques sur les « impressions » des artistes novateurs, s'avèrent a posteriori d'hallucinantes prophéties de l'art moderne.

La facture : ressources de la troisième dimension

Si les Incohérents « attentèrent à l'art », ce fut moins par leur activité de pasticheurs ou de parodistes de tableaux connus, somme toute assez restreinte, que par le recours systématique qu'ils eurent à des médiums farfelus. Ils tournent en dérision jusqu'aux techniques, puisque, libérés de toutes contraintes de forme et de fond, ils le sont aussi des traditions. Les Incohérents œuvrent sur toutes sortes de supports, et en priorité les plus insolites : manche à balai, sac à café, marmite, pot de chambre, casserolle, cervelas à l'ail, toile émeri, voire sur un cheval vivant qu'ils peignent en bleu, blanc, rouge en 1889. Il fut même question en 1882 de réaliser une peinture sur dos d'homme. Comme il serait trop ennuyeux de se contenter de l'huile, de la gouache ou du marbre, les exposants remplacent ces procédés traditionnels et font des aquarelles à la salive, ou à l'eau de seltz, une terre mal cuite, une terre cuite mais non peinte, un portrait à l'huile de coco, à l'huile de foie de morue, un tableau en jus de réglisse et chocolat **(Cat 209)**, un dessin à la mouchure de nez, une nature cuite...

Puis ils réinventent les genres : nature demi-morte, nature tout ce qu'il y a de plus morte, peinture demi-sel, photo-sculpto-peinture (sur terre et tête de pipe), néo-relief, eau excessivement forte, bas-relief à l'ail et à l'huile pour salade frisée...

Ces boutades sous-tendent bien sûr d'autres caricatures dont elle viennent renforcer la satire. Les Incohérents ont très vite compris l'intérêt que la caricature pouvait tirer de la troisième dimension et leurs expositions regorgent de compositions en relief, drôles par leur dérisoire même.

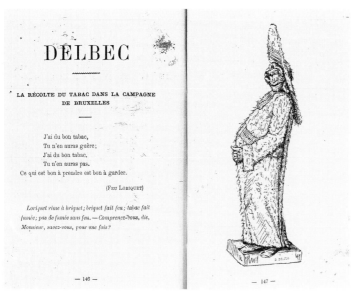

Fig 26   Delbec, *La Récolte du tabac dans la campagne de Bruxelles*, catalogue de 1884, p. 147

Fig 27   Alfred Choubrac, *Vue de Tulle, le soir*, catalogue de 1889, p. 65

On note ainsi de multiples compositions à base de denrées périssables ou comestibles : beaucoup de « croûtes » en pain, des boulettes de mie en guise de furoncles sur le visage du *Convalescent* de Henri de Sta (« horreur en relief », 1882), un *Canard aux petits pois* en petits pois collés avec de la poix (1886), la *Récolte du macaroni dans la campagne de Naples* de Lévy d'Orville et Mesplès qui posent sur la tête d'une paysanne italienne une charge de macaronis et plantent dans un paysage des arbres en bois de réglisse (1882). Sans oublier plusieurs réalisations à base de fromage : *Ce que l'on suit et ce que l'on sent* (1882), pieds en « marbre de gruyère » par Gray, *L'Aveugle et le paralytique* (1884), librement adapté de la parabole biblique avec un morceau d'emmenthal et un morceau de brie, la *Pipe en racine de gruyère* de Souleau en 1889, les *Courses d'été*, fromages se poursuivant dans l'herbe (Mesplés, 1883)...

Au fil des expositions, on relève encore une *Récolte de tabac dans la campagne de Bruxelles* (paysage en ronde bosse d'après et en nature) composée de véritables chiques en 1884 (Fig 26), un *Bas-relief*, bas de femme cloué sur un socle de bois (1882) **(Cat 225)**, le *Bombardement d'Alexandrie* de Colombey (1882) dont les acteurs sont des jouets, petits bateaux, turbans et moitiés de toupies en lieu de mosquées. La cire à cacheter est utilisée dans le *Paysage rural* de Depré (1882) pour rendre l'effet de neige, et par Emile Cohl pour les plumes de *L'oïe Fuller* (1893), la célèbre danseuse y devenant un volatile de basse-cour.

Entre ces deux tendances se situent des œuvres qui, par l'adjonction d'un ou plusieurs éléments réels, frôlent l'hyper-réalisme. La référence absolue est le *Facteur rural* de Ferdi-nandus, le clou de l'exposition incohérente de 1882 dont le soulier droit avait été incrusté dans la toile. En 1882, Bertol-Graivil colle un journal entre les mains de son *Portrait d'homme*, qui masque le visage et ne laisse apparaître que les mains du personnage. A l'exposition de 1882, une tête de ramoneur sort d'un tuyau de poêle collé sur un support de bois (*L'Idylle du ramoneur*, « Fraipont pinxit et fumixit »), en 1886 Thieffry peint en trompe-l'œil les petites coupures de *La Table aux billets*, et Lecuit se procure une lucarne de métal à travers laquelle on aperçoit le *Repassage de la mère Rouge*. Emule de Caran d'Ache et de sa peinture historique *1814* voi-lée de tulle moucheté blanc pour signifier le temps de neige, Choubrac expose en 1889 une *Vue de Tulle* indiscrète décou-vrant, sous de transparentes dentelles, les charmes d'une beauté « fin de siècle » (Fig 27).

Ce n'est plus un tableau particulier, c'est l'art tout entier jusqu'à dans ses méthodes qui est remis en question pour le simple plaisir du jeu. Le tableau perd son aura. Désacralisé jusqu'à ne plus devoir être achevé : en 1884 un Incohérent expose une œuvre avec mention à la craie « Vous savez ce n'est pas tout à fait fini ! ». Le tableau redevient une chose, presque un meuble pour Cohl qui invente le *Tableau démon-table pour petits appartements ou villégiatures*, en neuf tableautins indépendants qui, réunis, forment une scène de genre. Aucune limite à l'audace incohérente : Delpy n'utilisera que le cadre de son tableau pour y peindre cinq compositions différentes, remettant en question la fonction du cadre conçu à l'époque comme parure, mais aussi comme limite (les tableaux étaient exposés au touche-à-touche au Salon officiel). Le cadre faire-valoir devient un support artistique à part entière. Il peut se suffire à lui-même tel le *Tableau d'à-venir*, cadre vide exposé par Mey-sonnier en 1883 **(Cat 204)**. Certaines compositions incohérentes s'ornent également de cadres agré-mentés de menus objets de toilette (*Parisiana*, 1883) ou de cartes à jouer et sacoches de cuir (*Une fille de brasserie*, 1884).

Du calembour à l'absurde

Le berceau des Incohérents fut, on l'a vu, un club littéraire, celui des Hydropathes. Là réside sans doute l'origine de leur goût immodéré pour le jeu avec les mots, et l'importance des légendes de leurs œuvres. Les notices des catalogues de leurs expositions ne sont pas seules à être truffées de calembours « empruntés aux recueils de bons mots que vendent les pitres forains »[53]. Les œuvres ayant recours à cette recette sont aussi, de loin, les plus fréquentes.

Dévoyé par l'intrusion de sens superposés, le mot mis au service de l'humour y reçoit une transcription plastique. Le titre des œuvres ainsi inspirées se suffit généralement à lui-même. Si la reproduction de ces dernières nous fait défaut, il nous est possible d'en connaître la matière à la lecture de leurs légendes basées sur une homophonie approximative.

Dans le répertoire incohérent, figurent des calembours façon almanach Vermot tels que la cruelle *Vieille qu'on presse d'Olivier* (1884) (Fig 28) ou les *Dix manches gras* (1889) offrant un aspect inexploré des carnavals. Mais aussi *La Bourse au lavis* (Germaine, 1889), *Les Mères aux vingt chiens* (Chaly, 1883), *Porc trait par Van Dyck* (Bridet, 1884), *Serrement des eaux grasses* (Hilaire, 1883), *Le Pot tâche* (Borindeau, 1889), *Paradis lapins* (Périnet, 1889)...

53. Fénéon, art. cit.

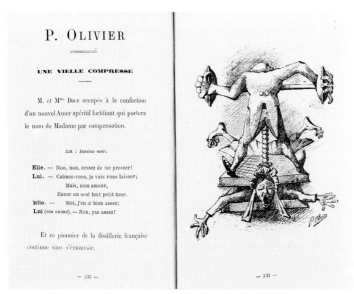

Fig 28   P. Olivier, *Une vieille qu'on presse*, catalogue de 1884, p. 133

Certains titres, toutefois, ne sont pas aussi explicites que ces derniers exemples. Lorsqu'ils ne présentent à première vue rien d'exceptionnel, on est en droit de soupçonner qu'ils cachent quelque chose. Le rôle de la surprise est ici primordial. C'est le décalage entre ce que suggère la légende à notre esprit empreint d'automatismes et la représentation qui crée le comique.

L'homonymie règne alors ainsi que dans les rébus. Les chiffres constituent en particulier une manne remarquable. On trouve au fil des années une *Invasion des Uns*, *Cyclones* incarnés par six clowns alignés, le *Vieux et le neuf*, le premier se servant du chiffre neuf comme béquille (Fig 29), un *Siège de Troie* évoqué par trois soldats assis et ripaillant face à la ville mythique, ou encore l'*Ile de Cythère* où l'on découvre, en soulevant l'étoffe qui le dissimule, le mot « Lille » peint avec six tons différents : terre de Sienne, terre d'ocre, etc.

Dans le même esprit, Barbotin forme deux consonnes en croisillons de métal dans lesquelles on reconnaît le nom du *Plus grand homme de l'Exposition* universelle de 1889 : Eiffel. Un autre Incohérent propose en 1882 une *Hache de l'âge de pierre*, « la seule que l'Académie se déclare impuissante à aspirer ». Jouant toujours de l'homonymie, la *Porteuse de pains* est zébrée de coups, *L'Affranchissement des esclaves* (Fig 30) se fait avec des timbres-poste, et l'*Arrivée des bleus au corps* est

Fig 29   Paul Baron, *Le Vieux et le Neuf*, catalogue de 1886, p. 66

L'affranchissement des esclaves.

Fig 30   Maurice Neumont, *L'Affranchissement des esclaves*, catalogue de 1889, p. 85

nettement plus douloureuse que l'enrôlement des jeunes recrues (Fig 30 bis).

Faute de reproductions ou de descriptions, nous ne connaîtrons sans doute jamais la teneur de nombreuses oeuvres dont seuls les titres sont présents dans les catalogues. Saura-t-on jamais ce que représentait cet énigmatique *Martel en tête (ou de l'influence du théâtre sur la chevelure humaine)* de 1886 ?

Un autre avatar du jeu avec les mots consiste à traduire au pied de la lettre les expressions métaphoriques. Jules Roques en décrivait ainsi l'intérêt :

« ... le dessin doit pouvoir noter par des traits et interpréter fidèlement tout ce que dit le texte. Se basant sur ce qui précède, allez donc dire à un classique de faire un dessin représentant : un ministre ayant l'oreille du gouvernement, ou bien un criminel étouffant la voix de sa conscience ! Voilà ce qui explique la raison d'être de l'école incohérente, dont les disciples (...) sont une force nouvelle, un complément, un supplément aux règles de l'art... »[54]

Emile Cohl illustre l'exemple de Roques en 1886 par un *Leader parlementaire* ayant l'oreille de la Chambre et l'Assemblée suspendue aux lèvres, puis par un *Général hors cadre* dont le portrait en pied pend lamentablement en dehors de son cadre (Fig 31).

Un anonyme, en 1883, avait déjà conçu un panneau interprétant *La Colère* sous la forme, en relief, d'une échelle appuyée contre un nez, à laquelle montaient des pots de moutarde. Le même processus de traduction littérale est utilisé pour le portrait de la maîtresse de Salomon, reprenant scrupuleusement les attraits dont la pare le *Cantique des Cantiques* : son cou comme une tour d'ivoire, sa taille comme un palmier, ses cheveux comme un troupeau de chèvres, restitués point par point, durent composer en 1883 un bien étrange ensemble. Mais le chef-d'œuvre du genre, l'*Abus des métaphores*, fut exposé en 1886 par Emile Cohl.

Les Incohérents utilisent également les calembours illustrés pour s'attaquer aux valeurs reconnues de l'art : la Vénus de Milo se voit dotée d'un mari à barbe dit *Le Vénus demi-lot* (1886) et d'une homonyme *Vénus de mille eaux* (1889) couverte d'étiquettes d'eaux de source **(Cat 205)**. Il s'agit là d'un procédé vieux comme la caricature qui s'est toujours complue à détourner de la droite interprétation les œuvres d'art de référence. Mais, aux Arts incohérents, la caricature ne se contente plus du trait et gagne une autre dimension : les *Dix*

COHL (ÉMILE), du jury

Un général hors cadre.

Fig 31 Emile Cohl, *Un général hors cadre*, catalogue de 1886, p. 63

54. *Le Courrier français*, 12 mars 1885.

at 205 Van Drin/Présence Panchounette,
a Vénus de mille eaux, 1889/1988

Saint-Doux.

g 32 Totor, *Saint-Doux*,
italogue de 1886, p. 116

manches gras sont de véritables manches de bois enduits de graisse et les détournements de la Vénus de Milo sont autant de reproductions en plâtre, complétées, qui par une barbe postiche, qui avec des étiquettes d'eaux minérales.

L'équivoque peut aussi se mettre au service de la satire politique : avec la représentation d'un célèbre député qui monte à la Chambre sous le titre : *Vue de Méline montant* (1889) ; de la satire historique avec le *Génie de la pastille* représentant le fabricant de gommes anti-toux Géraudel ; de la satire religieuse avec la sacrilège canonisation de *Saint Doux* par Totor (1886) (Fig 32).

Ceci dit, l'outrage caricatural est moins conscient que l'on pourrait le penser. La caricature justifie l'emploi des mediums les plus imprévus. C'est avant tout le jeu avec les mots qui est le moteur de ces œuvres.

Les Incohérents s'amusent avec les mots comme ils s'amusent avec l'art. Une grammaire incohérente ébauchée en 1884 avec *Un nombril/une ombrelle* (Mme Jaeger), donne comme correspondants masculin/féminin en 1886 : *Un bottin/Une bottine* (Béni-Etcœtera) **(Cat 227)**, *Un voyou/Une voyelle* (Miss Kuite).

Par jeu, les Incohérents poussent le calembour aux frontières de l'absurde, la caricature aux limites du non-sens. Ils ne se reconnaissent aucun censeur. La liberté seule les guide. Alphonse Allais par amour des bons mots multiplie dans ses nouvelles et romans d'incroyables trouvailles : kangoucycles, « Aquarium en verre dépoli pour cyprins timides » et autres « Maisons ascenseurs qui s'enfoncent dans le sol jusqu'à l'étage désiré ». Pourquoi dérogerait-il à cette ligne de conduite zigzaguante lorsqu'il participe aux Arts incohérents ? Ses compagnons de Salon sont d'ailleurs aussi adeptes de l'extravagance que lui, comme le prouvent ces quelques exemples : un projet de *Canal aérien* (1886) et de *Constructions démocratiques enlevant aux étages supérieurs l'inconvénient de se trouver à des hauteurs exagérées* (1884), qui munit chaque étage d'un immeuble d'un ballon dirigeable, le concierge se retrouvant ainsi au dernier étage puisque les habitants arrivent par les airs ! Absurdes toujours le *Pince-nez ne tombant jamais du nez* cloué sur un buste de plâtre, et le livre à pages blanches *Gare à vos yeux !!!* (Francis Sarcelles, 1884).

Il s'agit de favoriser l'abolition de la logique, du bon sens, synonymes d'ennui et de sérieux. « Le sérieux abrutit, la gaieté régénère » proclame Lévy en 1885[55]. A partir de là, tous les délires sont autorisés. On place entre les bras d'un mannequin de cire un baromètre dont il jouera ainsi que d'une guitare et l'on intitule le tout *Sculpture barométrique* ; Sonal peint la *Cruelle énigme* d'un visage vide, portrait sans traits (1886) ; Langlois pose à l'exposition de 1883 un cercueil demandant aux visiteurs « Soulevez le couvercle s'il vous plaît! »... L'humour noir s'immisce entre les lignes nonsensiques, donnant à l'incohérence de faux airs surréalistes, d'autant plus troublants lorsque l'on sait, par exemple, qu'Erik Satie, ami d'Alphonse Allais, fut pianiste au Chat Noir avant de monter *Parade* avec Picasso (1917), puis *Relâche* avec Picabia... Mais lorsque Dada surgit, qui se souvient des Incohérents ? Ceux qui avaient vingt ans lors de leurs premiers bals, sans doute. Lévy est mort en 1935. Il était contemporain du Surréalisme, il a vu les premières expériences abstraites. Il n'a rien dit, rien revendiqué[56]. Peut-être souriait-il en se remémorant les calembredaines que ses compagnons concoctaient quelques décennies plus tôt dans leurs arrière-ateliers. La distance ironique leur avait permis d'aller juste un peu trop loin, là où sommeillait ce qui allait être.

55. « Manifeste de l'Incohérence », *Le Courrier français*, 12 mars 1885.

56. Seul un numéro de *L'Hydropathe* osera publier le 28 décembre 1919 un poème de Cabriol sacrant les cubistes et les futuristes « fils déférents » de Jules Lévy. Ce texte accompagne le dessin de la couverture sur laquelle Lévy est représenté faisant surgir de la boîte de Pandore incohérente des cubes et un pied de nez à la Vénus de Milo. Il s'excuse d'un « c'est de ma faute »...

La Colère.

Bibliographie

Cette bibliographie est constituée essentiellement des ouvrages cités en notes. Nous tenons à signaler, à titre de référence, l'étude de Catherine CHARPIN, *Les Arts incohérents (1882-1893)*, Paris, Syros/Alternatives, dont le présent catalogue constitue le prolongement.

BOUILLON (Jean-Paul) : « Sociétés d'artistes et institutions officielles dans la seconde moitié du XIXe siècle », *Romantisme*, n° 54, 1986, p.89-113.

CARADEC (François) et WEILL (Alain) : *Le Café-concert*, Paris, Atelier Hachette/Massin, 1980.

CASTERAS (Raymond de) : *Avant le Chat Noir : les Hydropathes, 1878-1880*, Paris, Albert Messein, 1945.

CATE (Phillip Dennis) et BOYER (Patricia Eckert) : *The Circle of Toulouse-Lautrec*, New-Brunswick, N. Y. , Jane Voorhees Zimmerli Art Museum, 1986.

CATE (Phillip Dennis), ed : *The Graphic Arts and French Society, 1871-1914*, Rutgers University Press, 1988.

CHABANNE (Thierry) : *Les Salons caricaturaux*, Paris, RMN, 1990, « Les dossiers du Musée d'Orsay », 41.

CHADOURNE (André) : *Les Cafés-concerts*, Paris, E. Dentu, 1889.

CHAMPSAUR (Félicien) : *Dinah Samuel*, Paris, Paul Ollendorff, 1882.

CHAUVEAU (Philippe) et SALLEE (André) : *Music-hall et café-concert*, Paris, Bordas, 1985.

COQUELIN Cadet : *Le Monologue moderne*, Paris, P. Ollendorff, 1881.

COQUELIN Cadet et COQUELIN Aîné : *L'Art de dire le monologue*, Paris, P. Ollendorff, 1884.

CRAFTON (Donald) : *Emile Cohl, Caricature, and Film*, Princeton University Press, 1990.

DORRA (Henri) : « Les Pastilles Géraudel et les grands maîtres fin-de-siècle », *Gazette des Beaux-Arts*, février 1984, p. 85-90.

GOUDEAU (Emile) : *Dix ans de bohème*, Paris, A la librairie illustrée, s. d. (1888).

GRAND-CARTERET (John) : *Raphaël et Gambrinus ou l'art dans la brasserie*, Paris, Louis Westhausser, 1886.

GRAND-CARTERET (John) : *Les Mœurs et la caricature en France*, Paris, A la librairie illustrée, 1888.

GROJNOWSKI (Daniel) : « Une avant-garde sans avancée : Les arts incohérents », *Actes de la Recherche en sciences sociales*, novembre 1981, p. 73 à 86.

GROJNOWSKI (Daniel) et SARRAZIN (Bernard) : *L'Esprit fumiste et les rires fin de siècle*, Paris, José Corti, 1990.

LEMOINE (Bertrand) : *Les Passages couverts en France*, Paris, Délégation à l'Action artistique de la Ville de Paris, 1989.

LETHEVE (Jacques) : *La Caricature et la presse sous la IIIe République*, Paris, Armand Colin, Coll. Kiosque, 1961.

LEVY (Jules) : *Les Hydropathes*, Paris, André Delpeuch ed., 1928.

MAILLARD (Léon) : *Les Menus et les programmes illustrés du XVIe siècle à nos jours*, Paris, Librairie artistique G. Boudet, 1898.

OBERTHUR (Mariel) : *Cafes an Cabarets of Montmartre*, Gibbs M. Smith, Inc. , 1984.

POTVIN (Georges) : « La Vie cahotique d'un caricaturiste célèbre : Alfred Le Petit (1841-1909) » , *Gavroche*, n° 31, janvier-février 1987, p. 11 à 17.

RICHARD (Lionel) : *Cabaret, cabarets*, Paris, Plon, 1991.

RICHARD (Noël) : *A l'aube du symbolisme : hydropathes, fumistes et décadents*, Paris, Nizet, 1961.

RIOUT (Denys) : « Remarques sur les Arts incohérents et les avant-gardes » , *Actes de la Recherche en sciences sociales*, novembre 1981, p. 86 à 88.

ROBERTS-JONES (Philippe) : « La Presse satirique illustré entre 1860 et 1890 » , *Etudes de presse*, nouvelle série, 1956.

ROBERTS-JONES (Philippe) : « Les Incohérents et leurs expositions » ,*Gazette des Beaux-Arts*, octobre 1956, p. 231 à 236.

ROBERTS-JONES (Philippe) : *De Daumier à Lautrec. Essai sur l'histoire de la caricature française entre 1860 et 1890,* Paris, Bibliothèque des Arts, 1960.

ROBERTS-JONES (Philippe) : *La Caricature du Second empire à la Belle époque,* Paris, Le Club français du livre, 1963.

SHATTUCK (Roger) : *Les Primitifs de l'avant-garde,* Paris, Flammarion, 1974.

SOMOFF (J. P.) et MARFEE (A) : « Le Centenaire des Hydropathes » ,*A Rebours,* n° 5, 1978.

SOMOFF (J. P.) et MARFEE (A) : « Les Fumistes Hydropathes » ,*A Rebours,* n° 34/35, 1986.

VAISSE (Pierre) : *La IIIe République et les peintres. Recherches sur les rapports des pouvoirs publics et de la peinture en France de 1870 à 1914,* thèse dactylographiée, Paris-Sorbonne, 1980.

VAN LENNEP (Jacques) : « Les Expositions burlesques à Bruxelles de 1870 à 1914 : l'art zwanze – une manifestation pré-dadaïste » , *Bulletin des Musées royaux des Beaux-Arts de Belgique,* 1970/1-4, p. 127-148, et compléments dans 1985-1988/1-3.

Liste des œuvres exposées

Cat 1 à 42

Arts incohérents :
Les expositions parisiennes

Cat 1 à 6

Catalogues

1

Catalogue de l'exposition des Arts incohérents ouverte le dimanche 1er octobre chez M. Jules Lévy, 4 rue Antoine-Dubois
Le Chat noir, numéro hors série,
1er octobre [1882], 1 f.r/v.
Paris, Bibliothèque historique de la ville de Paris, série actualités

2

Catalogue de l'exposition des Arts incohérents au profit des pauvres de Paris 55, 57 et 59, Galerie Vivienne. Du 15 octobre au 15 novembre 1883
Paris, impr. Chaix, 1883, in 18
Exeter, collection Pakenham

3

Catalogue illustré de l'exposition des Arts incohérents
Paris, E. Bernard et Cie, imprimeurs-éditeurs, 1884, in 18
Paris, collection François Caradec
Paris, bibliothèque du musée d'Orsay

4

Catalogue de l'exposition des Arts incohérents... à l'Eden-Théâtre, rue Boudreau, du 17 octobre au 19 décembre 1886
Paris, 1886, in 8
Paris, collection François Caradec

5

Catalogue illustré de l'exposition des Arts incohérents, 42 bd Bonne-Nouvelle et 2, Faubourg Poissonnière. Du 12 mai au 15 octobre 1889
Paris, 1889, in 8
Paris, collection François Caradec

6

Catalogue illustré de l'exposition des Arts incohérents. Année 1893. A l'Olympia, 26 bd des Capucines
Paris, 1893, in 8
Paris, collection François Caradec

Cat 7 à 28

Cartons d'invitation,
imprimés divers

7

Henri BOUTET, 1851-1919
Invitation à l'exposition des Arts incohérents, 4 rue Antoine-Dubois, 1er octobre 1882
Carton, 13 X 16 cm
Exeter, collection Pakenham

8

Exposition du 1er octobre 1882. Souvenir offert à M. Jules Rainaud pour sa toile « Doux souris, fleurs et parfums, la rue de la lune (peinture) »
Imprimé, 19 X 26 cm
Exeter, collection Pakenham

9

Règlement de l'Exposition des Arts incohérents (Année 1883)
Paris, J.H. Gouéry, impr. des Incohérents, 21 X 13 cm.
Paris, Bibliothèque historique de la ville de Paris, série actualités

10

Jules LEVY, 1857-1935
Lettre circulaire aux participants de l'exposition des Arts incohérents, 1883
Imprimé, 23 août 1883
Exeter, collection Pakenham

11

LEVY-DORVILLE
Invitation à l'inauguration des Arts incohérents, Galerie Vivienne, 14 octobre 1883
Carton, 15 X 18 cm
Exeter, collection Pakenham

12

Luigi LOIR, 1845-1916
Exposition des Arts incohérents, Galerie Vivienne du 14 octobre au 15 novembre 1883, entrée du vendredi
Carton, 13 X 16 cm
Paris, musée national des arts et traditions populaires, 70.83.109

13

FERDINANDUS, ? - 1888
Carte d'exposant à l'exposition des Arts incohérents, Galerie Vivienne, du 14 octobre au 15 novembre 1883
Carton, 12 X 15,5 cm
Exeter, collection Pakenham

14

Jules RAINAUD
Service de la presse. Exposition des Arts incohérents, Galerie Vivienne, du 14 octobre au 15 novembre 1883
Carton, 10,5 X 14 cm
Exeter, collection Pakenham

15

Jules LEVY
Lettre à Jules Rainaud, 17 octobre 1883
Ms autogr, S., D., 20 X 13 cm
Exeter, collection Pakenham

16

Lettre circulaire aux exposants : annonce d'un Punch de dignation au Buffet de la Bourse le 30 novembre 1883
Imprimé, 21 X 15 cm
Paris, Bibliothèque historique de la ville de Paris, série actualités

17

Lettre circulaire aux invités : annonce d'un Punch de dignation au buffet de la Bourse, le 30 novembre 1883
Imprimé, 20 X 14 cm
Paris, Bibliothèque historique de la ville de Paris, série actualités

18

Henri BOUTET
Invitation au Punch de dignation offert par les Incohérents à la presse parisienne...30 novembre 1883
Carton, 15,5 X 16 cm
Paris, musée national des arts et traditions populaires, 70.83.108

19

FERDINANDUS
Invitation à l'inauguration de l'exposition des Arts incohérents, Galerie Vivienne, 19 octobre 1884
Carton, 10 X 13,5 cm
Paris, Bibliothèque historique de la ville de Paris, série actualités

Cat 21

20
Henry GRAY (Henry Boulanger, dit),
1858-1924
*Exposition des Arts incohérents, Galerie
Vivienne. Carte du vendredi (1884)*
Carton, 10,5 X 13 cm
Paris, musée national des arts et tradi-
tions populaires, 70.83.126

21
Henri-Patrice DILLON, 1851-1909
*Carte d'exposant à l'exposition des Arts
incohérents, Galerie Vivienne (1884)*
Carton, 11 X 14,5 cm
Paris, musée national des arts et tradi-
tions populaires, 70.83.131

22
Henri BOUTET
*Année 1884. Service de la Presse. Exposi-
tion des Arts incohérents, Galerie
Vivienne, du 19 octobre au 20 novembre*
Carton, 11 X 11,5 cm
Paris, Bibliothèque nationale, Estampes,
Yd2 mat. 1884

23
Henri et Edme LANGLOIS
*Invitation au vernissage de l'exposition
des Arts incohérents, 17 octobre (1886),
Eden-Théâtre*
Carton, 11 X 14 cm
Paris, musée national des arts et tradi-
tions populaires 70.83.128

24
Emile COHL, 1857-1938
*Carte d'exposant à l'exposition des Arts
incohérents, valable du 17 octobre au 19
décembre 1886*
Carton, 11 X 14 cm
Paris, musée national des arts et tradi-
tions populaires, 70.83.114

25
Henry GRAY
*Service de la presse. Carte permanente
pour l'exposition des Arts incohérents,
Eden-Théâtre, rue Boudreau (1886)*
Carton, 12 X 16 cm
Paris, musée national des arts et tradi-
tions populaires 70.83.129

26
Henri-Patrice DILLON
*Invitation au vernissage de l'exposition
des Arts incohérents à l'Olympia, le
1er avril (1893)*
Carton, 10,5 X 13,5 cm
Paris, musée national des arts et tradi-
tions populaires 70.83.127

27
Maurice NEUMONT 1868-1930
*Carte de la presse. Exposition des Arts
incohérents, Olympia, année 1893*
Carton, 14,5 X 11 cm
Paris, musée national des arts et tradi-
tions populaires 70.83.117

28
E. GATGET
*Carte d'exposant. Exposition des Arts
incohérents, année 1893, à l'Olympia, 26
bd des Capucines*
Carton, 11,5 X 14,5 cm
Paris, Bibliothèque nationale, Estampes,
Yd2 mat. 1893

Cat 29 à 36
Affiches

29
Henry GRAY
*Exposition des Arts incohérents au profit
des Pauvres de Paris. 55-57-59, Galerie
Vivienne, du 15 octobre au 15 novembre
1883*
Affiche, lithographie noir et blanc, impr.
J.H. Gouéry, S.,n.D., 85 X 63 cm
Paris, musée de la Publicité, 21350

30
HOPE (Léon Choubrac, dit), 1847-1885
*Exposition des Arts incohérents au profit
des grandes sociétés d'instruction gra-
tuite. Du 20 octobre au 20 novembre
1884, Galerie Vivienne, 55-57-59*
Affiche, lithographie noir et blanc, impr.
Emile Lévy, n.S.,n.D.,
131 X 100 cm
Paris, musée Carnavalet, AFF. 71

31
Jules CHERET, 1836-1933
Arts incohérents, 1886
Maquette de l'affiche de 1886, encre, lavis
d'encre avec rehauts de gouache,
n.S.,n.D., 126 X 87 cm
Paris, musée des Arts décoratifs, 13679

32
Jules CHERET
*Eden-Théâtre, rue Boudreau, Exposition
des Arts incohérents... 18 octobre au
19 décembre 1886*
Affiche, lithographie couleurs, impr. Chaix
(succ. Chéret), S.,D., 124 X 87 cm
Paris, musée Carnavalet, AFF. 195

33
Jules CHERET
*Exposition universelle des Arts incohé-
rents, 1889*
Maquette pour l'affiche de 1889, encre,
lavis d'encre avec rehauts de gouache,
126 X 87 cm
Paris, musée de la Publicité, 13680

34
Jules CHERET
*42 bd Bonne-Nouvelle, Exposition univer-
selle des Arts incohérents, 1889*
Affiche, lithographie couleurs, impr. Chaix
(succ. Chéret), S.,D., 118 X 82 cm
Paris, musée Carnavalet, AFF. 403

35
*Allez voir... l'exposition des Arts incohé-
rents. C'est très amusant !, 1889*
Affichette, lithographie noir et blanc, impr.
G. Rougier, n.S.,n.D., 30 X 17,5 cm
Paris, Bibliothèque historique de la ville de
Paris, série actualités

36
Henry GRAY, Henri-Patrice DILLON, Emile
COHL, Henri PILLE
*Olympia, 26 bd des Capucines, Exposition
des Arts incohérents, 1893*
Affiche, lithographie couleurs,
impr. E. Pichot, S., n.D. 160 X 120 cm
Paris, musée de la Publicité, 11756

Cat 37 à 42
Diffusion dans la presse

37
Emile COHL
« Un Voyage chez les Incohérents »
Le Charivari, 25 octobre 1883
Paris, Bibliothèque de l'Arsenal, Fol. Jo.
108

38
Anonyme
« Exposition des Arts incohérents »
Lutèce, 26 octobre - 2 novembre 1883
Exeter, collection Pakenham

29

39
Anonyme
« Beaux-Arts incohérents »
La Vie parisienne, 27 octobre 1883
Paris, Bibliothèque de l'Arsenal, 4 Jo
10110

40
Henri et Edme LANGLOIS
« Aux Arts incohérents, Galerie Vivienne »,
1884
Lithographie noir et blanc, S.,n.D., 22 X
33 cm
Paris, Bibliothèque nationale, Estampes,
Cohl/Snr

41
Emile COHL
« Exposition des Incohérents »
Le Charivari, 22 octobre 1886
Paris, Bibliothèque nationale, Estampes,
Cohl/Snr

42
Emile GOUDEAU, 1849-1906
« L'Incohérence »
Ill. par Badufle, Mesplès, Habert, etc, *La
Revue illustrée*, 15 mars 1887, p. 229 à
232
Paris, Bibliothèque nationale, Cohl/Snr

Cat 43 à 84
Bals des Incohérents
Cat 43 à 77
*Programmes, cartons
d'invitation, imprimés :*
43
*Association syndicale des journalistes
républicains. jeudi 15 février 1883.
Grande fête de nuit parée et travestie*
Affiche imprimée, 121 X 83 cm
Exeter, collection Pakenham

44
*Avis des membres de la commission du
bal des Incohérents annonçant un grand
bal costumé dans les Salons des Soirées
Vivienne, le 11 mars [1885]*
Imprimé, 9 février 1885, 24 X 18 cm
Exeter, collection Pakenham

45
Henry SOMM (François Sommier, dit),
1844-1907
*Invitation au bal des Incohérents, le 11
mars 1885, 49 rue Vivienne*
Carton, eau-forte, 15 X 22 cm
Paris, musée national des arts et traditions populaires 70.83.113

46
Henry GRAY
*Deux invitations au bal des Incohérents, le
11 mars 1885, 49 rue Vivienne*
Carton, 11 X 14 cm
Paris, musée national des arts et traditions populaires, 70.83.111 et 70.83.112

47
FERDINANDUS
*Invitation au bal des Incohérents, salle
Olivier Métra, 31 mars 1886*
Carton, 8,5 X 11 cm
Paris, collection François Caradec

48
Henry GRAY
*Carte de presse. Invitation au bal des
Incohérents, salle Olivier Métra,
le 31 mars (1886)*
Carton, 16 X 23 cm
Paris, musée national des arts et traditions populaires, 70.83.132

49
31 mars 1886. Souvenir du bal des Incohérents. Salle Vivienne
Programme, 8,5 X 11 cm
Paris, collection François Caradec

50
Henry GRAY
*Incohérence finale. Folies-Bergère,
le 16 mars (1887)*
Carton, poème signé Jules Lévy,
37 X 25 cm
Paris, musée national des arts et traditions populaires, 70.83.122

51
Emile COHL
3e et dernier bal des Incohérents, Folies-Bergère, le 16 mars (1887)
Carton, poème signé Jules Lévy,
37 X 25 cm
Paris, musée de Montmartre

52
JANEL
3e et dernier bal des Incohérents, Folies-Bergère, le 16 mars (1887)
Carton, poème signé Jules Lévy,
37 X 25 cm
Paris, musée de Montmartre

53
Adrien MARIE, 1848-1891
Invitation au bal des Incohérents, Eden-Théâtre, 27 mars 1889
Carton, 14 X 17,5 cm
Exeter, collection Pakenham

54
Ferdinand LUNEL, 1857- ?
*Service de la presse. Bal des Incohérents,
27 mars (1889), Eden-Théâtre*
Carton, 14 X 17,5 cm
Paris, musée national des arts et traditions populaires, 70.83.130

55
Henry GRAY
*Arts incohérents. Bal à l'Eden-Théâtre le
27 mars 1889*
Carton, 14 X 17,5 cm
Paris, musée national des arts et traditions populaires, 70.83.115

56
Jules CHERET
*Arts incohérents. Bal au Moulin Rouge le
mardi 11 mars (1890)*
Carton, 11 X 14 cm
Paris, Bibliothèque historique de la ville de
Paris, série actualités

57
*Bal des Incohérents, 17 janvier 1891. Première et unique représentation de
« Vive la Liberté ! »*
Programme, 4 pages r/v., 30 X 17 cm
Paris, Bibliothèque nationale, Estampes,
Cohl/Snr

Cat 59

58
Eugène MESPLES, 1849-1924
Bal annuel des Incohérents le 4 mars prochain (1891). Eden-Théâtre, rue Boudreau
Invitation-programme, 4 pages r/v, 27,5 X 18,5 cm
Paris, musée national des arts et traditions populaires, 70.83.135

59
Hermann VOGEL, 1856-1918
Grande fête des Incohérents au Théâtre de la Porte St-Martin, 23-24 mars 1892
Invitation-programme, 4 pages r/v, 37 X 28 cm
Paris, musée de Montmartre

60
Maurice NEUMONT
Bal des Incohérents au Casino de Paris, 17 Novembre 1892
Carton, 11 X 13,5 cm
Paris, musée national des arts et traditions populaires, 70.83.116

61
Maurice NEUMONT
Bal des Incohérents [1er décembre 1893]
Affichette, S., n.D., 45 X 28 cm
Paris, musée de Montmartre

62
E. MERUNI
Bal des Incohérents du 1er décembre 1893 costumé et bérengiste au Casino de Paris
Carton, 21 X 14 cm
Paris, musée de Montmartre

63
Maurice NEUMONT
Bal des Incohérents du 1er décembre 1893 costumé et bérengiste au Casino de Paris
Carton, 21 X 14 cm
Paris, musée de Montmartre

64
Anonyme
Bal des Incohérents du 1er décembre 1893 costumé et bérengiste au Casino de Paris
Carton, 21 X 14 cm
Paris, musée de Montmartre

65
Soirée de gala des Incohérents. Salle du Nouveau-Théâtre, rue Blanche, 1er décembre 1893
Carton, 10,5 X 14 cm
Paris, musée national des arts et traditions populaires, 70.83.118

66
Henry GRAY et Henri PILLE
Bal des Incohérents au Moulin Rouge, 14 au 15 mars 1894
Carton, 13,5 X 11,5 cm
Jane Voorhees Zimmerli Art Museum, Rutgers, The State University of New Jersey

67
Maurice NEUMONT et Henri PILLE
Bal des Incohérents au Moulin Rouge, 14 au 15 mars 1894
Jane Voorhees Zimmerli Art Museum, Rutgers, The State University of New Jersey

68
Ch. CHIVOT
Programme du bal donné par les Incohérents au Casino de Paris, 6 au 7 décembre 1894
Carton, 4 pages r./v., 32 X 25 cm
Paris, musée national des arts et traditions populaires, 70.83.121

69
Jean ULYSSE-ROY
Invitation au bal des Incohérents, 6 au 7 décembre 1894, Casino de Paris
Carton, 21 X 13,5 cm
Paris, musée national des arts et traditions populaires, 70.83.119

70
VERNEUIL (Maurice Pilard, dit), 1869-1942
Invitation au bal des Incohérents, 6 au 7 décembre 1894, Casino de Paris
Carton, 21 X 13,5 cm
Paris, musée national des arts et traditions populaires, 70.83.120

71
Lucien FAURE
Invitation au bal des Incohérents, 6 au 7 décembre 1894, Casino de Paris
Carton, 21 X 13,5 cm
Paris, musée de Montmartre

72
Henri-Patrice DILLON
Invitation au bal des Incohérents, 6 au 7 décembre 1894, Casino de Paris
Carton, 21 X 13,5 cm
Paris, musée de Montmartre

73
Henry GERBAULT, 1863-1930
Bal du Régime parlementaire, Casino de Paris, 4 au 5 avril prochain [1895]
Invitation - programme, 1 f. r/v, 40 X 28 cm
Paris, musée de Montmartre

74
Maurice NEUMONT
Bal des Incohérents, Folies-Marigny, 28 Mars 1896
Carton, 10,5 X 13,5 cm
Paris, musée de Montmartre

75
Henri de STA, 1846- ?
*Bal des Incohérents, Folies-Marigny,
28 mars 1896*
Carton, 10,5 X 13,5 cm
Paris, musée de Montmartre

76
Albert LEVY
Eden-Théâtre, Paris
12 photographies, épreuves anciennes,
S.,n.D. (vers 1886), 19,5 X 24 cm
Paris, Bibliothèque historique de la ville de
Paris, G.P. XXXIV 29 à 40
L'Eden -Théâtre fut l'un des lieux
d'élection des Incohérents, qui y
organisèrent exposition et bals en
1886, 1889, 1891

77
Henry GRAY
*Projets de costumes pour le Concert-
européen, 1895-1896*
7 dessins, mine de plomb et gouache,
S.,n.D., 25 X 14,5 cm
Jane Voorhees Zimmerli Art Museum,
Rutgers, The State University of New Jer-
sey
Titre des dessins : Chat noir, Chat
blanc, la Gare des Invalides, le
Siphon de la place de la Concorde, le
Bec de canne, Clébas de Mérobe,
L'Hiver 1895-1896

Cat 78 à 84
Diffusion dans la presse

78
Jules ROQUES et Jules LEVY
*Avis aux collaborateurs du numéro spé-
cial « Les Incohérents » du Courrier fran-
çais, 1er mars 1885*
Imprimé, 26 X 20 cm
Exeter, collection Pakenham

79
« Les Incohérents »
Numéro spécial du *Courrier français*, Mi-
Carême, 12 mars 1885, 24 pages, in fol.
Paris, Bibliothèque historique de la ville de
Paris, série actualités

80
Ferdinand LUNEL
« Au bal des Incohérents »
La Vie moderne, 21 mars 1885, in fol
Paris, musée Carnavalet, Mœurs 74/2

81
JOB (Jacques Onfray de Bréville, dit),
1858-1931
« Le bal des Incohérents - Quelques cos-
tumes »
L'Illustration, 10 avril 1886, in fol, p. 232 .
Paris, bibliothèque du musée d'Orsay

82
Adrien MARIE
« Souvenirs du bal des Incohérents -
Types et costumes étranges - Souper
assis »
Le Monde illustré, 17 avril 1886, in fol.
Exeter, collection Pakenham

83
BAC (Ferdinand de Sigismond Bach, dit),
1859-1922
« Souvenir du bal des Incohérents »,
1889
Lithographie noir et blanc, S.,n.D., 30,5 X
25 cm
Paris, musée Carnavalet, Moeurs 74/2

84
Eugène MESPLES
« Le bal et la représentation des Incohé-
rents dans la salle des Folies-Bergère »
Le Monde illustré, 31 janvier 1891, in fol.
Paris, Bibliothèque nationale, Estampes,
Cohl/Snr

Cat 85 à 95
*Arts incohérents :
manifestations en province*

85
*Catalogue des Arts incohérents. Ville de
Rouen. Caisse des Ecoles, 25 et 26 mai
1884*
Rouen, 1884, in 8
Rouen, Bibliothèque municipale,
BRm 2287

86
*Exposition incohérente des Arts incompris
organisée par la Société gallinophile La
Poularde... 23 janvier 1886*
Bourg-en-Bresse, impr. Villefranche,
1886, 22n°, in 12
Paris, Bibliothèque nationale, Réserve des
Imprimés, p.V. 279

87
*Les Arts incohérents. Première exposition
à Nantes du 17 février au 30 mars 1887*
Nantes, impr. du Commerce, 1887, 44 ill.,
201 n°, in 8
Nantes, Bibliothèque municipale, 103.765
Envoi ms : « A son très spirituel et
très aimable collaborateur au catalogue des arts incohérents. L'organisateur A. de Witkowski, 4 mars
1887 ».
Cachet : « Dominique Caillé. Pl.
Delorme, 8 - Nantes », avec mention
ms : « (Un grillon incohérent) ».

88
Jules CHERET
*Ville de Nantes. Exposition des Arts inco-
hérents. Salle du Sport, rue Lafayette,
1887*
Affiche, litho. couleurs, impr. Chaix (succ.
Chéret), rue Brunel, 85 X 59 cm
Paris, Bibliothèque nationale, Estampes,
Aff. toile II

89
*Catalogue de l'Exposition des Arts incohé-
rents au profit de l'Union française de la
jeunesse. Au Palais Rameau du 8 mai au
8 juin 1887*
Lille, 1887, 145 n°, in 8.
La Madeleine, collection G. et S. Durozoi

90
Monsieur UGENE
Bouche d'or et gueule d'acier, 1887
Dessin à la plume, 7 X 7 X 10,7 cm
La Madeleine, collection G. et S. Durozoi.
Croquis de l'œuvre exposée aux Arts
incohérents de Lille en 1887, sous le
n° 103

91
*Exposition des Arts incohérents. Union
des femmes de France. Catalogue des
oeuvres incohérentes exposées à Besan-
çon le 24 juillet 1887*
Besançon, impr. Ducret, couv. ill. par
G. des Tournures, 51 n°, in 16
Paris, collection François Caradec

92
*Fête des Ecoles des 10 et 11 mai 1890.
Salle Victor Poirel. Catalogue descriptif de
l'exposition des Arts incohérents, 1890*
Nancy, René Wiener ed., 1890, couv. ill.
par René Wiener, 86 n°, in 8
Paris, Bibliothèque nationale, Estampes,
Yd2 3947/8

93
Anonyme
*Souvenir des fêtes de bienfaisance de
Grenoble, 31 mai-1er juin 1891, Salon des
Arts incohérents des artistes dauphinois
contemporains*
Maquette d'affiche, 28 X 38 cm
Paris, collection François Caradec

94
Jacques GAY, 1851-1925
*Souvenir de la baraque des Arts incohé-
rents. Cavalcade du 31 mai 1891*
Lithographie, 1891, 32 X 50 cm
Paris, collection François Caradec

95
Jacques GAY
*Souvenir des fêtes de bienfaisance de
Grenoble du 31 mai 1891*
Impr. et photot. Jos Baratier, 50 X 65 cm.
Grenoble, Bibliothèque d'étude et d'infor-
mation, Pd 11 n 9

Cat 96 à 105
« Incohérent » :
la fortune d'un mot.

96
Georges LANIER et Eugène MATRAT
Les Arts incohérents, monologue en prose
Paris, librairie théâtrale L. Michaud, 1883, in 12
Paris, Bibliothèque nationale, Imprimés, Yth. 20859

97
Musique des Incohérents. Bal, salons du Rocher, 27 rue de la Barre, 3 octobre 1885
Carton, 11,5 X 8 cm
Paris, musée Carnavalet, Cartons d'invitation

98
MENELAS
La Revue incohérente en deux actes
Lithographie, impr. A. Delâtre, 30 X 21 cm
Paris, collection François Caradec
Distribution des principaux rôles de *La Revue incohérente* par Bataille et Semet, créée en décembre 1886 au café-concert de La Scala

99
Alfred CHOUBRAC, 1853-1902
Café des Incohérents. Concert, exposition. Rue Fontaine 16 bis. (1886)
Affiche, litho noir et blanc, n.S., n.D., imp.Emile Lévy, 84 X 62 cm
Paris, musée de la Publicité, 14845

100
José ROY, actif entre 1886 et 1905
Erhardt Frères, bière française. Café-concert des Incohérences avec exposition . 16 bis rue Fontaine (1888)
Affiche, litho. couleurs, n. S., n.D., impr. Ch. Verneau, 228 X 82 cm
Paris, musée Carnavalet, AFF 195

101
Café des Incohérents, 16 bis rue Fontaine. « Souvenir du bal de Noël, 24 décembre 1887 »
Menu imprimé, 22 X 17 cm
Paris, musée de Montmartre

102
Anonyme.
Histoire des seins aux Décadents, 16-bis rue Fontaine.
Affiche, litho. couleurs, n.S., n.D. (après 1889), 55 X 44,5 cm
Paris, musée de la Publicité, 11700
Le café-concert des Décadents succède au café des Incohérents en 1889. On y donne des spectacles, comme cette « Histoire des seins » qui joue sur l'homonyme « saints », dans la lignée des calembours incohérents.

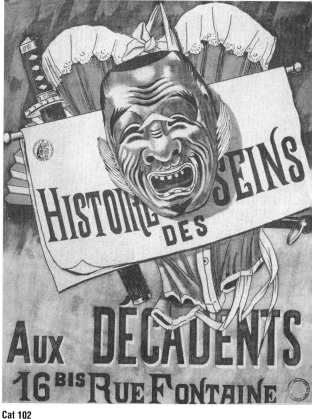
Cat 102

103
Concert des Décadents, 16 bis rue Fontaine. « Histoire des Seins » par Balluriau en 17 tableaux.
Programme, 4p. r/v, n.D. (après 1889), 14 X 11 cm.
Paris, musée de Montmartre

104
Emile COHL
Champagne incohérent, 1891 ?
Etiquette, S.,n.D., 11 X 15 cm
Collection Famille Courtet-Cohl

105
P. FRANCESCHI
Le Mannequin, ineptie incohérente... représentée pour la première fois sur le théâtre de l'Union artistique bisontine le 18 novembre 1892
Besançon, impr. Abel Cariage, 1893, in 18
Paris, collection François Caradec

Cat 106 à 193
Les Incohérents

Cat 106 à 120
Portraits

106
Anonyme
A une excursion des Incohérents, vers 1884
Photographie, épreuve ancienne, 12 X 18 cm
Paris, Bibliothèque nationale, Estampes, LEVY N2 Sup.

107
Anonyme
Les Hydropathes, tableau vivant
Photographie, épreuve ancienne, 17 X 24 cm
Paris, Bibliothèque nationale, Estampes, LEVY N2 Sup.

108
Anonyme
Réunion d'anciens Hydropathes
Photographie, épreuve ancienne, 12 X 17 cm
Paris, Bibliothèque nationale, Estampes, LEVY N2 Sup.

109
Eugène LE MOUEL
« Une séance aux Hydropathes »
L'Hydropathe, 2ᵉ année, N°1, 15 janvier
1880, in fol.
Paris, musée de Montmartre
Dans une joyeuse pagaille, les hydro-
pathes écoutent l'un des leurs, juché
sur une estrade, dire un monologue
ou un poème

110
Antonio de la GANDARA, 1862-1917
*R. Salis, J. Moréas, H. Rivière, E. Gou-
deau, 1882*
Mine de plomb, S., D., 31 X 25 cm.
Paris, Bibliothèque historique de la ville de
Paris, Res MS 140, fol. 3
Ce dessin, conservé dans « l'album
du Chat noir », est à mettre en rela-
tion avec l'œuvre exposée par la
Gandara aux Arts incohérents en
1883, sous le n° 118 : Les grands
hommes du « Chat noir » : Goudeau,
Salis, Rivière, Jouy, Moréas. Le
tableau homonyme (86 X 76 cm) a
fait partie de la vente Rodolphe Salis
(Drouot, 16 au 20 mai 1898) ; il n'a
pas réapparu depuis.

111
CHARLES
Emile Cohl et André Gill, 1883
Photographie, épreuve ancienne, S., n.D.,
14 X 10 cm
Paris, musée de Montmartre.

112
Anonyme (Emile COHL ?)
Portrait d'Emile Cohl en artichaut, 1885
Photographie, épreuve ancienne, n.S.,D,
22 X 13 cm
Collection Famille Courtet-Cohl
Emile Cohl pose dans le déguisement
qu'il arborait au bal des Incohérents
du 11 mars 1885

113
Etienne CARJAT et Cie
Emile Cohl, vers 1883
Photographie, épreuve ancienne, S.,
n. D., 14 X 10 cm
Paris, musée de Montmartre

114
L.G. MOSTRAILLES
Têtes de pipes
Paris, Léon Vanier, 1885, in 8, avec 21
photographies par Emile Cohl.
Paris, Bibliothèque nationale, Estampes,
Na 307/4
Parus d'abord dans l'hebdomadaire
Lutèce (février-juillet 1885), ces 21
médaillonnets satiriques, illustrés de
photographies dues à Emile Cohl,
Incohérent notoire, concernent en
partie des Incohérents : Emile Cohl,
Georges Lorin, Grenet-Dancourt,
Emile Goudeau.

Cat 123

115
Manuel LUQUE , 1854 - ?
« Emile Goudeau », 1890
Les Hommes d'aujourd'hui n° 364,
30 X 20 cm
Paris, musée de Montmartre

116
HERMET
Emile Goudeau, vers 1890
Photographie, épreuve ancienne, 9,5 X
6 cm
Exeter, collection Pakenham
Dédicace ms : « A mon excellent ami
Georges Lorin, Souvenir. Emile Gou-
deau »

117
MELANDRI
Georges Lorin, vers 1880
Photographie, épreuve ancienne,
9,5 X6 cm
Exeter, collection Pakenham

118
Emile COHL
Georges Lorin, vers 1884
Lithographie noir et blanc, S., n.D.,
35 X 25 cm
Paris, musée de Montmartre

119
VAN BOSCH
Félix Galipaux disant un monologue, vers
1890
24 photographies, épreuves anciennes,
14 X 10 cm,
Paris, musée Carnavalet, Portraits-photos,
13

120
Alfred ROLL, 1846-1919
Coquelin Cadet disant un monologue,
1890
Toile, s.D b.d., 175 X 100 cm
Boulogne-sur-Mer, Château-Musée,
Inv. 353

Cat 124

Cat 121 à 137
*Livres écrits et illustrés par
des Incohérents*
La majeure partie de ces ouvrages,
essentiellement des monologues,
provient du fonds Coquelin Cadet
conservé à la bibliothèque municipale de Boulogne-sur-Mer, ville
natale du comédien qui les a légués à
cette institution en 1909.

121
PIROUETTE (Coquelin-Cadet, dit), 1848-
1909
Le Livre des convalescents
Paris, Tresse, 1880, in 12, ill. par
H. Pille.
Boulogne-sur-Mer, Bibliothèque munici-
pale, Coq. 218

122
COQUELIN CADET
Le Monologue moderne
Paris, P. Ollendorff, 1881, in 18, ill. par
Luigi Loir
Boulogne-sur-Mer, Bibliothèque munici-
pale, Coq. 214

123
PIROUETTE
Le Cheval, monologue dit par Coquelin
Cadet
Paris, P. Ollendorff, 1883, in 16, ill. par
Sapeck
Boulogne-sur-Mer, Bibliothèque munici-
pale, Coq. 217

124
COQUELIN CADET
Le Rire
Paris, P. Ollendorff, 1887, in 12, ill. par
Sapeck
Boulogne-sur-Mer, Bibliothèque munici-
pale, Coq. 213

De rêveurs, qui riment des vers,

SURTAC

Les Morales
DU
RASTAQUOUÈRE

Illustrations
PAR
CARAN D'ACHE

Préface
PAR
COQUELIN CADET

Prix : **1** Franc

Prix : **1** Franc

PARIS
PAUL OLLENDORFF, ÉDITEUR
28 bis, rue de Richelieu, 28 bis
1886
Tous droits réservés

Cat 125

Cat 133

125
Georges LORIN, 1850-1927
Paris-rose
Paris, P. Ollendorff, 1884, in 12, ill. par
L. Loir et Cabriol
Boulogne-sur-Mer, Bibliothèque munici-
pale, Coq. 203

126
Georges LORIN
L'Ame folle
Paris, P. Ollendorff, 1893, in 12, couv. ill.
Boulogne-sur-Mer, Bibliothèque munici-
pale, Coq. 208

127
Georges MOYNET
Un canard, monologue dit par Coquelin
Cadet
Paris, P. Ollendorff, 1881, in 12, ill. par
Boulanger (Henry Gray)
Boulogne-sur-Mer, Bibliothèque munici-
pale, Coq. 276

128
Georges MOYNET
En famille, monologue dit par Coquelin
Cadet
Paris, P. Ollendorff, 1881, in 16, ill. par
Sapeck
Boulogne-sur-Mer, Bibliothèque munici-
pale, Coq. 172

129
Arnold MORTIER
Le Chirurgien du Roi s'amuse, monologue
dit par Coquelin Cadet
Paris, P. Ollendorff, 1883, in 12, ill. par
Sapeck
Boulogne-sur-Mer, Bibliothèque munici-
pale, Coq. 515

130
Philippe GILLE
L'Amateur de peinture, monologue dit par
Coquelin Cadet
Paris, P. Ollendorff, 1884, in 12, ill. par
Luigi Loir
Boulogne-sur-Mer, Bibliothèque munici-
pale, Coq. 290

131
Charles LEROY, 1844-1895
Ramollot au Salon
Paris, Marpon et Flammarion, 1883,
in 16, front. par Félix Régamey
Paris, collection François Caradec

132
Charles LEROY
Le Colonel Ramollot, recueil de récits mili-
taires
Paris, Marpon et Flammarion, 1883,
in 12, ill. par divers
Boulogne-sur-Mer, Bibliothèque munici-
pale, Coq. 374

133
SURTAC (Gabriel Astruc, dit)
Les Morales du rastaquouère
Paris, P. Ollendorff, 1886, in 12, ill. par
Caran d'Ache
Boulogne-sur-Mer, Bibliothèque munici-
pale, Coq. 493

134
Maurice MAC-NAB, 1856-1889
Poèmes mobiles, monologues de Mac-
Nab
Paris, L. Vanier, 1886, in 12, ill. par
l'auteur
Boulogne-sur-Mer, Bibliothèque munici-
pale, Coq. 206

135
Alphonse ALLAIS, 1854-1905
La Nuit blanche d'un hussard rouge
Paris, P. Ollendorff, 1887, in 12, ill. par
Caran-d'Ache
Paris, Bibliothèque nationale, Estampes,
Tf. 921/4

136
Alphonse ALLAIS
La pauvre bougre et le bon génie, nouveau
récit sangloté par Coquelin Cadet, de la
Comédie française
Paris, P. Ollendorff, 1891, in 12, ill. de
Henry Somm

Jane Voorhees Zimmerli Art Museum, Rutgers, The State University of New-Jersey, 1990.0589
Edition truffée de dessins originaux rehaussés d'aquarelle par Henry Somm

137
Alphonse ALLAIS
On n'est pas des bœufs
Paris, P. Ollendorff, 1896, in 12
Boulogne-sur-Mer, Bibliothèque municipale, Coq. 513

Cat 138 à 193
Jules Lévy, directeur et éditeur des Incohérents

138
Emile COHL
Jules Lévy incohérent, 1893
Maquette d'affiche, gouache, S., n.D., 70 X 55 cm
Jane Voorhees Zimmerli Art Museum, Rutgers, The State University of New-Jersey
Maquette pour la partie gauche de l'affiche collectiviste Olympia... Exposition des Arts Incohérents (1893) **(Cat 36)**

139
Adolphe WILLETTE, 1857-1926
Jules Lévy devenu fou..., 1886
Mine de plomb, 44,5 X 29 cm
Paris, Bibliothèque nationale, Estampes, Lévy N2 Sup.
Dessin préparatoire pour la couverture du *Courrier français*, 11 avril 1886 : « Jules Lévy devenu fou. Je suis le Salis de la Rive gauche »

140
G. L. de QUESTLAN
Jules Lévy personnifiant les arts incohérents, 1893
Photomontage, S., n.D., 20,5 X 23, 5 cm
Paris, Bibliothèque nationale, Estampes, Lévy N2 Sup
Œuvre exposée sous ce titre aux Arts incohérents en 1893 sous le n° 248

141
Albert MILLAUD
Physiologies parisiennes
Paris, A la librairie illustrée, 1888, in 8, ill. par Caran d'Ache, Job et Frick
Paris, collection François Caradec
Ouvert p. 138-139 : « l'Incohérent » par Job ; Jules Lévy est portraituré costumé en gendarme de Yokohama, déguisement qu'il arborait au bal des Incohérents de 1886

142
Henri PILLE, 1844-1897
Souvenir du banquet donné le 14 juillet 1895 à Antony par Jules Lévy
lithographie, S., 45 X 50 cm
Jane Voorhees Zimmerli Art Museum, Rutgers, The State University of New Jersey, 1990. 0117
Mention : « Ceci est une serviette de table »

143
Jules LEVY
Garfield. Sonnet incohérent en seize vers, 1883
Ms. autogr S., n.D., dessin à l'encre de chine par George Delaw
Paris, Bibliothèque historique de la ville de Paris, Res. Ms. 140, fol. 131
Ce poème autographe dédié « à mon ami R. Salis », fait partie de « l'Album du Chat noir ». Il est paru dans le journal Le Chat noir, le 3 février 1883.

144
Jules LEVY
Vive la liberté ! revue libre, incohérente et aristophanesque... Folies-Bergère, 17 au 18 janvier 1891
Paris, Marpon et Flammarion, 1892, in 12.
Paris, Bibliothèque historique de la ville de Paris, 610309.
Texte de la revue présentée dans le cadre du bal des Incohérents donné aux Folies-Bergère le 17-18 janvier 1891.

145
Jules CHERET
Pile de Pont par Albert Pinard, Jules Lévy éditeur
Couverture, lithographie couleurs, impr Chaix (succ. Chéret), S., n.D. (1886), 19,5 X 29 cm
Paris, Bibliothèque nationale, Réserve des Imprimés, Res. g.Q. 189

146
Jules CHERET
En vente ici : Graine d'horizontale par Jean Passe, Jules Lévy éditeur
Affiche de librairie, lithographie couleurs, impr Chaix (succ. Chéret), S., n.D. (1887), 23 X 32 cm
Paris, Bibliothèque nationale, Réserve des Imprimés, Res. g.Q.189

147
Jules CHERET
Paris qui rit par Georges Duval. Jules Lévy éditeur
Couverture, lithographie couleurs, impr. Chaix (succ. Chéret), S., n.D. (1886), 24 X 31 cm
Paris, musée de la Publicité

148
Jules CHERET
Voyages de découvertes d'A'Kempis... par Emile Goudeau... Jules Lévy éditeur
Couverture lithographie couleurs, impr. Chaix (succ. Chéret), S., n.D. (1886), 20 X 30 cm
Paris, musée de la Publicité

149
Jules CHERET
Roman incohérent par A. Joliet. Dessins de Steinlen. Jules Lévy éditeur
Couverture, lithographie couleurs, impr. Chaix (succ. Chéret), S., n.D. (1887), 18,5 X 30 cm
Paris, musée de la Publicité

150
Jules CHERET
En mer par Paul Bonnetain. Jules Lévy éditeur
Couverture, lithographie couleurs, impr Chaix (succ. Chéret), S., n.D. (1888) 20 X 30 cm
Paris, musée de la Publicité

151
Jules CHERET
Galipettes de Galipaux... Jules Lévy éditeur
Couverture, lithographie couleurs, impr. Chaix (succ. Chéret), S., n.D. (1887), 20,5 X 30 cm
Paris, Bibliothèque nationale, Estampes, Chéret/Snr

152
Jules CHERET
Les petits Japonais par Paul Bilhaud... Jules Lévy éditeur
Couverture, lithographie couleurs, impr. Chaix (succ. Chéret), S., n.D., 25 X 18 cm
Paris, Bibliothèque nationale, Estampes, Dc 329, t.6

153
Jules CHERET
Le Bureau du commissaire par Jules Moineaux... Jules Lévy éditeur
Couverture, lithographie couleurs, impr. Chaix (succ. Chéret), S., n.D. (1886), 19 X 30 cm
Paris, Bibliothèque nationale, Estampes, Dc 329, t.5.

154
Jules CHERET
Livres d'étrennes. Année 1888. Publications de la librairie Jules Lévy
Affiche de librairie, lithographie couleurs, S., n.D., 24 X 16 cm
Paris, musée de Montmartre

CANDIDAT BALLOTTÉ ÉLU.

INVALIDE. RÉÉLU. LEADER.

PHOTOGRAPHIE D'APRÈS NATURE D'UN REPRÉSENTANT
DU PEUPLE (POY' PEUPE)
PENDANT LES DIFFÉRENTES PHASES DE SA VIE PARLEMENTAIRE

Cat 162

155
Eugène LE MOUEL, 1859-?
Ka-li-ko et Pa-tchou-li
Paris, Jules Lévy ed., 1885, in 8 oblong,
ill. de l'auteur
Paris, Bibliothèque nationale, Estampes,
Tf. 157/4

156
Jules de MARTHOLD
Histoire de Marlborough
Paris, Jules Lévy ed., 1887, in 8 oblong,
ill. de Caran d'Ache
Paris, collection François Caradec

157
Charles JOLIET
Roman incohérent
Paris, Jules Lévy ed., 1887, in 12, couv.
par Chéret, ill. de Steinlen
Paris, collection François Caradec

158
Félix GALIPAUX, 1860-1931
Galipettes
Paris, Jules Lévy ed., 1886, in 12, couv.
par Chéret, ill. par divers
Paris, collection François Caradec

159
Emile GOUDEAU
*Voyages de découvertes d'A. Kempis à
travers les Etats-Unis de Paris*
Paris, Jules Lévy ed., 1886, in 12, couv.
par Chéret, ill. de Henri Rivière
Paris, collection François Caradec

160
COQUELIN CADET
Pirouettes
Paris, Jules Lévy ed., 1888, in 12, ill. par
divers
Boulogne-sur-Mer, Bibliothèque munici-
pale, Coq. 211

161
Félicien CHAMPSAUR 1858-? et
Jules CHERET
Le Mois théâtral
Paris, Jules Lévy éd., n spécimen, 5
octobre 1886, in 8, couv. ill par J. Chéret
Paris, Bibliothèque de l'Arsenal,
8Jo 20930 K

162
Georges DUVAL et Emile COHL
*Les Chambres comiques, revue satirique
des débats parlementaires*
Paris, Jules Lévy ed., octobre 1886-jan-
vier 1887, in 18
Paris, collection François Caradec

163
A. JULLIEN
*Lettre à Jules Lévy demandant des billets
de bal pour deux amis*
Ms autogr, S., n.D., avec dessin
Paris, musée de Montmartre

164
L. HOUSSOT
Lettre à Jules Lévy au sujet de la censure,
23 juillet 1884
Ms autogr, S., D., avec dessin
Paris, musée de Montmartre

165
L. HOUSSOT
*Lettre à Jules Lévy lui proposant de faire
un compte rendu de l'exposition des Arts
incohérents dans le journal « La Seine »*
29 août 1886
Ms autogr, S., D., avec dessin
Paris, musée de Montmartre

166
Roger BRAUN
*Demande d'invitation au bal des Incohé-
rents,* 1er mars 1887
Ms autogr, S., D.
Paris, musée de Montmartre

167
E. LEVY
*Lettre à Jules Lévy demandant une entrée
pour un bal des Incohérents au Moulin
Rouge*
Ms autogr, S., « un ancien exposant
E. Lévy », n.D., avec dessin à la plume
Enveloppe au nom de : « M. Jules Lévy,
4 rue Antoine Dubois, Paris », avec un
dessin plume et lavis
Paris, musée de Montmartre

168
Michel DALTROFF, Charles ULLMANN, E.
LEVY
*3 lettres à J. Lévy demandant une invita-
tion au bal des Incohérents de 1887*
3 Mss autogr, S. 1 « 1/3 d'exposant :
Michel Daltroff » ; 2 « 1/3 d'exposant :
Charles Ullmann » ; 3 « 1/3 d'exposant,
E. Lévy », n.D., avec croquis à la plume
Paris, musée de Montmartre

169
J. HABERT
*Lettre à J. Lévy demandant une invitation
pour la revue « Constatation » et un bal
des Incohérents*
Ms autogr, S., n.D., avec dessin
Paris, musée de Montmartre

170
HAARSCHER
*Poésie Incohérente par le Baron Brise
Miche : l'Anneau de Hans Carvel, d'après
Rabelais*
Poème autogr, 4 p., n.S., n.D. [1886],
avec dessins à la plume
Paris, musée de Montmartre

171
HAARSCHER
*Lettre à Jules Lévy demandant une invita-
tion au bal des Incohérents, 8 mars 1886*
Ms autogr, 4 p., S : « Haarscher boulan-
ger, 27 rue des Rosiers », D., avec cro-
quis à la plume
Paris, musée de Montmartre

172
A. JULLIEN
Lettre à Jules Lévy donnant son accord pour participer à l'exposition des Arts incohérents
Ms autogr, S., n.D., avec dessin
Paris, musée de Montmartre

173
Louis LAUMOIS
Demande d'invitation au bal des Incohérents
Ms autogr, S. « Louis Laumois avocat à la cour d'appel », n.D., avec croquis à la plume
Paris, musée de Montmartre

174
PONVOISIN
Lettre à Jules Lévy lui décrivant son envoi futur à l'exposition des Arts incohérents, 28 avril 1889
Ms autogr, S.,D., avec dessin à la mine de plomb
Paris, musée de Montmartre

175
CIBOULEAU
Lettre à Jules Lévy donnant son adhésion, et celle de Maurice Neumont, au Banquet du 5 juin, 27 mai 1889
Ms autogr, S., D., en tête : « Chambre des députés », avec croquis à la plume
Paris, musée de Montmartre

176
E. FROMENT
Demande d'invitation au bal des Incohérents, 17 mars 1886
Ms autogr, S., D., avec dessin
Paris, musée de Montmartre

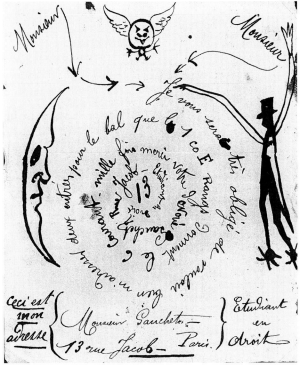

Cat 178

177
Michel DALTROFF
Demande d'invitation au bal du Moulin Rouge, 1er mars 1890
Ms autogr., S : M. Daltroff (ancien exposant), D., avec croquis à la plume
Enveloppe au nom de « Jules Lévy, Directeur des Incohérents au Moulin Rouge », avec croquis à la plume
Paris, musée de Montmartre

178
GAUCHET
Demande d'invitation au bal des 1 co E Rangs
Ms autogr, S. « M. Gauchet, Etudiant en droit », n.D., avec croquis à la plume
Paris, musée de Montmartre

179
Alexandre de CESTI
Demande d'invitation à un Bal des Incohérents
Ms autogr, S., n.D., avec croquis à la plume
Paris, musée de Montmartre

180
CARAN d'ACHE (Emmanuel Poiré, dit), 1858-1909
Lettre à J. Lévy acceptant l'illustration d'un livre de Jules Moineaux
Ms autogr, S., n.D.
Paris, musée de Montmartre

181
CARAN d'ACHE
Télégramme à Jules Lévy lui demandant de réserver un panneau (1 X 5 m) pour son œuvre « 1814 », panorama
Ms autogr, S : « Caran d'Ache, historiographe distingué », n.D.
Paris, musée de Montmartre

Cat 167

182
CARAN d'ACHE
Carte-Télégramme annulant un rendez-vous avec Jules Lévy
Ms autogr, S., n. D. [1887 : cachet de la poste], avec croquis à la plume
Paris, musée de Montmartre

183
Henry GRAY
Carte de vœux à Jules Lévy pour 1885, janvier 1885
Ms autogr, S., D., avec lettrine illustrée
Paris, musée de Montmartre

184
Henry GRAY
Lettre à J. Lévy lui proposant de dessiner les cartes d'invitation au bal des Incohérents, 18 février 1889
Ms autogr, S., D., avec illustration
Paris, musée de Montmartre

185
E. PUJALET
Demande de cartes d'invitations au bal des Incohérents, 22 mars 1892
Ms autogr, S.,D., avec croquis à la plume
Paris, musée de Montmartre

186
Anonyme
Demande de deux invitations à la représentation de « Constatation »
Ms autogr bleu-blanc-rouge à en tête « Prise de la Bastille », n.S, n.D.
Paris, musée de Montmartre

187
Michel HAARSCHER
Carte de visite à J. Lévy l'informant qu'il n'a pas reçu son Entrée au Bal des Incohérents
Ms autogr, S., n.D., avec dessin
Paris, musée de Montmartre

188
Manuel GRAZI et G. PESCE
Demande d'invitation au bal des Incohérents du 11 mars
Ms autogr, S, n.D., avec croquis
Paris, musée de Montmartre

189
Michel DALTROFF
Demande de quatre invitations au bal des Incohérents, 17 novembre
Ms autogr, S., D., avec croquis à la plume
Paris, musée de Montmartre

190
DESJARDINS
Demande d'invitation pour le bal des Incohérents du 31, 1er mars 1886
Ms autogr, S. : « Desjardins, rédacteur au Courrier agricole La Poule-qui-tête », D., avec dessin
Paris, musée de montmartre

191
ZUT
Lettre à J. Lévy l'avisant de son changement d'adresse, 13 mars 1889
Ms autogr, S., D.
Paris, musée de Montmartre

192
Louis CABROL
Lettre à J. Lévy lui réclamant le catalogue de l'exposition des Arts incohérents, 27 août 1886
Ms autogr, S., D.
Paris, musée de Montmartre

193
Anonyme
Vive le choléra. Gare St Lazare, 5h15 mn
Dessin à l'encre de chine et crayons de couleurs, S. "J.R Moi aussi fais des chinoiseries"
Paris, musée de Montmartre

Cat 194 à 213
Arts incohérents : les œuvres

Cat 194 à 207
Parodies de tableaux.

194
Raymond PELEZ
« Première impression du Salon de 1843 »
Le Charivari, 19 Mars 1843
Paris, Bibliothèque de l'Arsenal, Fol. Jo.108

195
BERTALL
« Caricatures »
L'Illustration n° 11, 13 mai 1843, p. 173
Paris, bibliothèque du musée d'Orsay
Deux exemples de Salons caricaturaux, ancêtres des Arts incohérents

196
Pierre PUVIS DE CHAVANNES, 1824-1898
Le pauvre pêcheur, 1881
Toile, S.D.b.d, 155 X 190 cm.
Paris, musée d'Orsay, R.F. 506

197
Emile COHL
Le pauvre pêcheur dans l'embarras. Grosse caisse de Basque à l'usage d'un grand théâtre. Le poisson vient de chez Potin et la ligne a tiré plus d'un goujon à La Varenne, ce qui fait enrager Daubray qui ne prenait que des ablettes.
Reconstitution : tambour de basque, fil à pêche, hareng saur.
L'une des nombreuses parodies d'œuvres de Puvis de Chavannes ; présentée à l'exposition des Arts incohérents en 1884, sous le n° 54

198
Henri RIVIERE, 1864-1951
L'enfant prodigue... poème et musique de Georges Fragerolle, dessins d'Henri Rivière... E. Flammarion éditeurs... Enoch et Cie éditeurs, 1895
Affiche de librairie, litho. couleurs, impr. E. Verneau, s.D., 21,5 X 62 cm
Paris, Bibliothèque nationale, Réserve des Imprimés, Res. g.Q. 189
Cette affiche s'inspire de l'œuvre exposée aux Arts incohérents en 1882 par « Henri Rivière, élève de Puvis de Chavannes et d'Emile Bin », sous le n° 133 : *L'Enfant prodigue, retiré dans le désert, apprend à ses cochons à déterrer des truffes* (Pour l'hôtel de ville de Périgueux), parodie du tableau de Puvis de Chavannes *L'Enfant prodigue,* 1879

199
Georges FRAGEROLLE
L'Enfant prodigue, scènes bibliques en 7 tableaux... Dessins de Henri Rivière
Paris, Enoch et Cie ed, Flammarion ed, 1895, in 4 oblong
Paris, Bibliothèque nationale, Musique, Fol Vm 522

200
Henri de STA
1882 Comic-Salon
Paris, chez l'éditeur du Comic-Salon (Léon Vanier), 1882, in 8
Paris, Bibliothèque nationale, Estampes, Yd2 1264/8
Ouvert à la page 8 : « Portrait de M. Chavis de Pavannes par Bonnat ». Henri de Sta fut un Incohérent assidu

201
CARAN D'ACHE et Manuel LUQUE
Peintres et chevalets
Paris, Léon Vanier, 1887
Paris, Bibliothèque nationale, Estampes, Tf 921/4
Ouvert page 9 : « Une Vocation aux champs par Puvis de Chavannes »

202
WILLY (Henri Gauthier Villars, dit), 1859-1931 et CHRISTOPHE (Georges Colomb, dit), 1859-1945
Comic-Salon (Champs-Elysées et Champ de Mars)
Paris, Léon Vanier, 1892, in 12
Paris, collection François Caradec
Ouvert page 21 : « Puvis de Chavannes : l'illustre peintre un peu souffrant s'est fait remplacer par son fils âgé de 9 ans »

203
Jean-Jacques HENNER, 1829-1905
Nymphe qui pleure, après 1884
Toile, 48 X 37 cm, S., n.D.,
Paris, musée national Jean-Jacques Henner, JJHP 241
Réplique du tableau exposé au Salon des artistes français en 1884 ; parodié à l'exposition des Arts incohérents de 1884, sous le n 166, par « N. Nair, marchand de cheveux » : *La Nymphe qui pleure parce qu'elle a perdu sa tante*, parodié à nouveau en 1889, sous   le
n° 384, par Xanrof : *La Nymphe Biblis changée en source*

204
MEY-SONNIER
Tableau d'avenir
Cadre en plâtre doré, 148 X 110 cm
Paris, musée d'Orsay
Parodie du tableau de Meissonier *Les Ruines des Tuileries* présenté au Salon triennal de 1883. Exposé aux Arts incohérents de 1883 sous le n° 227

205
G. VAN DRIN / PRESENCE PANCHOU-NETTE
La Vénus de Mille eaux, 1889/1988
Plâtre et étiquettes collées, reconstitution 1988, H : 80 cm
Paris, Galerie de Paris
Présenté aux Arts incohérents de 1889, sous le n° 366

206
Emile COHL
« Essais d'impressionnisme : Synthétisons ! »
Le Courrier français, 2e année, n° 32, 9 août 1885, 35 X 24 cm
Paris, collection Famille Courtet-Cohl

207
GIT-B-LEVY / PRESENCE PANCHOU-NETTE
Carnaval de 1893 (Grande bataille de confettis, étude d'après nature), 1893/1988
Toile et confettis, reconstitution 1988, 73 X 116 cm
Paris, Galerie de Paris
Célébrant l'introduction des confettis en France à l'occasion du carnaval de 1892, cette œuvre est aussi une parodie de la peinture « pointilliste » ou   « confettiste   » pratiquée par les néo-impressionnistes, dans la lignée de Seurat. Présenté aux Arts incohérents de 1893, sous le n° 109

Cat 208 à 218
Portraits-charges

208
Henri BOUTET
Polichinelle, 1884
Pointe-sèche rehaussée de couleurs, 46,5 X 29 cm
Paris, Bibliothèque nationale, Estampes, Ef 424, t.1
Exposé aux Arts incohérents de 1884 sous le n° 32, avec cette légende : « Pan ! Pan ! Qu'est-ce qu'est là ? C'est le portrait frappant de ressemblance du futur président d'un conseil de ministres, en France ou ailleurs ».

209
Alfred LE PETIT, 1841-1909
Alfred Le Petit à Sainte-Pélagie (par lui-même), 1889
Toile, 81 X 116 cm
Paris, collection Colette Kieffer et Jean-François Le Petit
Exposé aux Arts incohérents de 1889, sous le n° 221, avec cette mention : « peinture au chocolat et au jus de réglisse, le malheureux prisonnier n'ayant pas ce qu'il lui fallait pour peindre, s'est servi de ce qu'il avait ». Le dessinateur purgeait alors deux mois de prison (13 avril-15 juin 1889) pour une violente caricature en faveur du général Boulanger (*La Charge*, 28 octobre 1888)

210
Alfred LE PETIT
Trente trois masques
Ecorces d'orange repoussées, s.D.
Paris, collection Colette Kieffer et Jean-François Le Petit

211
Paul BOURBIER, 1853-?
a – Dailly
Statuette-charge, plâtre polychrome, S, H : 22 cm
b – *Coquelin Cadet*
Statuette-charge, plâtre polychrome, S., H : 33 cm
c – *Hyacinthe*
Statuette-charge, plâtre polychrome, S., H : 25,5 cm
d – *Daubray*
Statuette-charge, plâtre polychrome, S., H : 27 cm
Paris, musée Carnavalet, S. 1500, S. 1505, S. 1498, S. 1499
Cet ensemble de statuettes-charges d'acteurs comiques célèbres de l'époque, exposé aux Arts incohérents en 1886 sous le n° 43 : *Quatuor hilarant : Hyacinthe, Daubray, Dailly, Coquelin Cadet*, fut acquis, comme le numéro suivant, par le musée Carnavalet en 1898, alors que Georges Cain, ancien Incohérent, était conservateur du musée.

212
Paul BOURBIER
Lassouche
Statuette-charge, plâtre polychrome, S., H : 31 cm
Paris, musée Carnavalet, S. 1501
Présenté aux Arts incohérents de 1884 sous le n° 31 : « J'viens d'trouver un émail, mon vieux !! », puis en 1889 sous le n° 52

Cat 209

213
Achille MELANDRI
a – *Sarah Bernhardt au cercueil,* ca. 1873
Photographie, épreuve ancienne, 9,5 X 6 cm
b – *Sarah Bernhardt peignant dans son atelier,* ca 1875
Photographie, épreuve ancienne, 14 X 10 cm
c – *Sarah Bernhardt, rôle de la Reine dans Ruy Blas,* ca 1872
Photographie, épreuve ancienne, 14 X 10 cm
Paris, musée Carnavalet, Portraits-photos 13
Sarah Bernhardt fut l'une des personnalités de l'époque la plus parodiée par les Incohérents. Ancien hydropathe, le photographe Mélandri exposa aux Arts incohérents en 1882 et 1883 ; il exécuta plusieurs portraits de Sarah Bernhardt

214
Atelier NADAR
Sarah Bernhardt, ca 1880
Photographie, épreuve ancienne, 30 X 18 cm
Paris, musée Carnavalet, Portraits-photos 13

215
COQUELIN CADET / PRESENCE PANCHOUNETTE
Sarah Bernhardt en robe blanche, peinture sèche, 1884/1988
Fil à pêche, support stratifié, 80 X 30 cm, reconstitution 1988
Bordeaux, collection Présence Panchounette, courtesy Galerie de Paris et Marketing Attitude
Exposé aux Arts incohérent de 1884, sous le n° 54

216
Alfred LE PETIT
Parapluie pour spectacle, 1884
Parapluie, carton et paille
Paris, collection Colette Kieffer et Jean-François Le Petit
Exposé aux Arts incohérents de 1884 sous le no 218. Portrait-charge de Sarah Bernhardt sous la forme d'un parapluie qui symbolise la maigreur légendaire de la tragédienne.

217
Gabriel LOPPE, 1825-1913
Loïe Fuller dans la Danse du Lys, après 1895
Photographie, épreuve sur papier à la gélatine, 13 X 9 cm
Paris, musée d'Orsay, PHO 1984-75

218
S.J BECKETT
a – *Loïe Fuller dans la Danse du Lys,* après 1895
2 photographies, épreuves aristotypes, 7,5 X 10 cm et 10 X 14 cm
b – *Loïe Fuller dans la Danse du Lys,* après 1895
Photographie, épreuve ancienne agrandie, 17 X 23 cm
Paris, Musée d'Orsay, PHO 1986-72 (1 et 6), don de la Gilmann Paper Company, New York 1986, et PHO 1984-18 (1)

Cat 219 à 227
Œuvres objets/Calembours

219
Charles ANGRAND, 1854-1926
Arrivée des cinq Galets, 1883/1992
Toile et galets, 70 X 120 cm, reconstitution 1992
Paris, coll. part.
Exposé aux Arts incohérents de 1883 sous le n° 5.

220
Népomucène KARLOTIN
Les Economies budgétaires de 1886, 1886/1992
Bouts de chandelle et soucoupe, reconstitution 1992
Paris, coll. part.
Présentée aux Arts incohérents de 1886 sous le n° 127, cette œuvre reste d'actualité

221
Ernest K-RABIN
Conscience d'un homme politique, 1889/1992
Bracelet élastique, reconstitution 1992
Paris, coll. part.
Présenté aux Arts incohérents de 1889, sous le n° 210

222
FRIM
Vue de Panne à moi, 1893
Bourse et boutons d'époque
Paris, Union française des Arts du costume, Lhuer 54.31.17
Présentée aux Arts incohérents de 1893 sous le n° 101, cette œuvre-objet joue sur l'homophonie approximative :
« Panama » / « Panne à moi »

223
CARAN D'ACHE
Le Carnet de chèques
Paris, Plon, 1893, in 8 oblong
Paris, collection François Caradec
Le scandale de Panama est ici évoqué sous forme d'un carnet de chèques fictif où figurent les divers types de « chéquards ».

224
Alphonse ALLAIS
Terre cuite (pomme de), 1883/1992
Terre cuite, reconstitution 1992
Paris, coll. part.
Présenté aux Arts incohérents de 1883, hors catalogue

225
ANONYME/PRESENCE PANCHOUNETTE
Bas-relief, 1882/1988
Bas de soie, support stratifié, 120 X 30 cm, reconstitution 1988
Bordeaux, collection Présence Panchounette, courtesy Galerie de Paris et Marketing Attitude
Exposé hors catalogue aux Arts incohérents de 1882

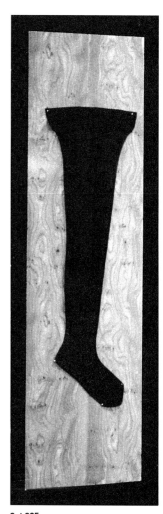

Cat 225

226
Ano TONIM/PRESENCE PANCHOUNETTE
Une trompette sous un crabe ; projet d'illustration pour « Les Misérables » de Victor Hugo, 1884/1988
Mallette, crabe et trompette, reconstitution 1988
Paris, Galerie de Paris
Exposé aux Arts incohérents de 1884, sous le nº 231. Allusion au chapitre 3 du livre VII des *Misérables* de Victor Hugo : « Une tempête sous un crâne »

227
BENI-ETCOETERA
Grammaire incohérente : I un bottin (subs.masc.) ; II une bottine (subs. fem.)
Didot Bottin et bottine d'enfant en cuir d'époque
Paris, Union française des Arts du costume, Lehoux 81.18.2A et Bibliothèque du musée d'Orsay
Exposé aux Arts incohérents de 1886 sous le nº 26

Cat 228 à 231
Monochroïdes

228
Alphonse ALLAIS
Première communion de jeunes filles chlorotiques par un temps de neige, 1883
Bristol blanc, reconstitution 1992
Exposé aux Arts incohérents de 1883, sous le nº 3

229
Alphonse ALLAIS
Récolte de la tomate, sur le bord de la mer Rouge, par des Cardinaux apoplectiques. (Effet d'aurore boréale), 1884
Morceau d'étoffe rouge, reconstitution 1992
Exposé aux Arts incohérents de 1884, sous le nº 3

230
Alphonse ALLAIS
Les grandes douleurs sont muettes - Marche funèbre incohérente, 1884
Partition de musique imprimée, reconstitution 1992
Exposé aux Arts incohérents de 1884, sous le nº 5

231
Alphonse ALLAIS
Album primo-avrilesque
Paris, P. Ollendorff, 1896, in 8 oblong, ill.
Paris, collection Ralph Messac

Achevé d'imprimer en février 1992
sur les presses de l'imprimerie Jacques London

Photogravure de Jacques London

Dépôt légal : février 1992
ISBN 2 7118 2582-5
EC 30 2582

Maquette de l'Atelier Rosier

Titres déjà parus dans cette collection :